FELICIDADE

Ana Beatriz Barbosa Silva

FELICIDADE
Ciência e prática para uma vida feliz

principium

copyright © 2022 by Ana Beatriz Barbosa Silva
copyright © 2022 by Abbs Cursos e Palestras Eireli

Todos os direitos reservados. Nenhuma parte desta edição pode ser utilizada ou reproduzida – em qualquer meio ou forma, seja mecânico ou eletrônico, fotocópia, gravação etc. – nem apropriada ou estocada em sistema de banco de dados, sem a expressa autorização da editora.

Texto fixado conforme as regras do Acordo Ortográfico da Língua Portuguesa (Decreto Legislativo nº 54, de 1995)

Editor: Lucas de Sena
Assistente editorial: Renan Castro
Preparação: Marcela de Barros Isensee
Revisão de texto: Vanessa Sawada
Projeto gráfico: Mateus Valadares
Paginação: Crayon Editorial
Capa: João da Paixão Motta Jr.
Imagens da capa: Moment/Getty Images
Ilustração da página 64: Erika Onodera
Colaboração: Helena Mello

1ª edição, 2022 — 6ª reimpressão, 2024

CIP-BRASIL. CATALOGAÇÃO NA PUBLICAÇÃO
SINDICATO NACIONAL DOS EDITORES DE LIVROS, RJ

S578f

Silva, Ana Beatriz Barbosa
Felicidade : ciência e prática para uma vida feliz / Ana Beatriz Barbosa Silva. - 1. ed. - Rio de Janeiro : Principium, 2022.
224 p.

Inclui bibliografia
ISBN 978-85-63083-02-9

1. Felicidade. 2. Autorrealização (Psicologia). 3. Técnicas de autoajuda. I. Título.

22-79191   CDD: 152.42
                     CDU: 159.942

Gabriela Faray Ferreira Lopes - Bibliotecária - CRB-7/6643

Editora Globo S.A.
Rua Marquês de Pombal, 25
20.230-240 – Rio de Janeiro – RJ – Brasil
www.globolivros.com.br

Sumário

7   Introdução

19 1. Você é feliz? — Questionário dos níveis de felicidade

27 2. Separando o joio do trigo

37 3. A ditadura da felicidade

51 4. Fake news da felicidade

63 5. Felicidade — fatores biológicos, genéticos e ambientais

87 6. O cérebro humano, suas distorções evolutivas e a felicidade

101 7. Malhação da felicidade

117 8. Os verdadeiros alicerces da felicidade I

137   9. Os verdadeiros alicerces da felicidade II

159   10. Meditar é preciso

177   11. Hora de rever nossos conceitos

203   12. Bem-vindo ao despertar da realidade

215   Agradecimentos

217   Bibliografia

Introdução

A primeira vez que ouvi minha madrinha ler um poema de Álvaro de Campos, uma espécie de alegria e de tristeza simultâneas invadiram a minha alma. Sim, alegria e tristeza em uma conjunção contrastante que me despertou uma inquietante reflexão. Algo que experimentamos depois de uma queimadura, quando mergulhamos as mãos em água gelada. E não há nada como um choque de opostos para aguçarmos a percepção, filtrarmos as emoções e depurarmos os pensamentos para a construção de um raciocínio harmonioso sobre qualquer assunto, não é? Hoje, um pouco mais ciente de minha essência e propósitos nesta vida, percebo que as palavras do poema "Aniversário" me despertaram uma das primeiras reflexões sobre a felicidade. Era meu aniversário de nove anos. Ainda hoje, quando revivo aquele momento, tenho a sensação de que tudo o que é feito com intenção pura e genuína se eterniza no tempo, e o poema de Álvaro de Campos é um exemplo disso. Leia aqui comigo o trecho do poema que mais me impactou:

> No tempo em que festejavam o dia dos meus anos,
> Eu era feliz e ninguém estava morto.
> Na casa antiga, até eu fazer anos era uma tradição de há séculos,
> E a alegria de todos, e a minha, estava certa com uma religião qualquer.
>
> No tempo em que festejavam o dia dos meus anos,
> Eu tinha a grande saúde de não perceber coisa nenhuma,
> De ser inteligente para entre a família,
> E de não ter as esperanças que os outros tinham por mim.
> Quando vim a ter esperanças, já não sabia ter esperanças.
> Quando vim a olhar para a vida, perdera o sentido da vida. (...)

Reconheço que quando ouvi esse poema, no dia 31 de março de 1976, eu me considerava a pessoa mais feliz do mundo. E olha que havia apenas vinte dias que minha avó paterna tinha falecido de maneira inesperada. Não pense que é exagero de expressão, pois de fato era assim mesmo que me sentia: eu tinha a melhor avó do mundo, que me dizia todos os dias em horários marcados, às seis e meia da manhã, depois às cinco e às nove da noite, pelo telefone fixo, o quanto ela se importava com meus dias e o quanto eu era amada por ela. Eu simplesmente era a "boneca da vovó" (era exatamente assim que ela me chamava), e isso era tudo do que eu precisava para ser feliz naquela época.

Até completar nove anos, eu realmente tinha a inocência de achar que a vida era uma grande festa com dois ápices anuais: meu aniversário e o Natal. No meu aniversário, era o "pode tudo": escolher a roupa nova, os lanches das melhores restaurantes de *fast food*, os refrigerantes, os doces e o bolo com a carinha dos personagens mais badalados dos filmes e seriados da época. No Natal, o protagonismo era dividido com meus primos. Éramos catorze, e eu era a caçula. Sempre foi muito mágico estarmos todos juntos, entre canções, jogos, fotos, brinquedos e muita alegria. O tempo podia parar naqueles dias, pois éramos felizes, sabíamos e nos orgulhávamos de tudo aquilo.

Quando as comemorações natalinas e do Réveillon terminavam, uma espécie de tristeza tomava conta de mim, e eu me perguntava: este novo ano será tão bom quanto o que passou? No fundo, eu sabia que um dia aquela felicidade toda seria abalada; só não sabia que seria no ano de 1976 e por causa da perda da pessoa que eu mais amava na vida.

O ano de 1976 foi certamente o mais triste da minha vida. Esbravejei com Deus e fui tomada por uma espécie de espanto ao perceber que, apesar da minha dor, a vida continuava a acontecer, o sol brilhava, as escolas funcionavam, as pessoas iam e vinham, os pássaros cantavam, as flores se abriam... Foi nesse momento que percebi de forma clara que, independentemente de cada um de nós, existe uma ordem universal que faz a vida transcender o indivíduo. Essa ordem não tem qualquer caráter pessoal, repressor ou vingativo, ela simplesmente se impõe e acontece para todos.

Pude constatar que todos nós passávamos por momentos difíceis e inesperados, e me recordei de um fato ocorrido na escola, quando ainda tinha sete anos: a mãe de uma coleguinha da turma ficou doente e, em seis meses, veio a falecer. Eu me lembro como se fosse hoje: a diretora da escola interrompeu a aula de português e, com um olhar estranho em direção à professora, solicitou que a aluna Maria Luiza fosse liberada para ir para casa, pois sua avó tinha chegado de São Paulo e queria vê-la. Maria Luiza me olhou e com um sorriso me disse: "Bia, como você, eu também adoro minha avó e vou brincar muito com ela hoje. Até amanhã!". Maria Luiza nunca mais voltou às aulas e, naquele ano, entre uma informação e outra, acabei percebendo que sua mãe tinha falecido e que ela havia ido morar com a avó em São Paulo. Quando perdi a minha avó, essa história da Malu me veio à cabeça e de alguma forma aliviou grande parte da minha revolta. Senti-me até um pouco constrangida por não ter conseguido entender o tamanho do sofrimento dela ao perder a mãe naquele momento.

De forma inexplicável para mim naquela época, três meses após a morte da minha avó, me peguei brincando, sorrindo e fazendo planos para o Natal, Réveillon e para o meu aniversário de dez anos. Em pouco tempo, minha mente abandonou as cenas de dor e deu espaço para as lembranças boas, e pude reconhecer que as boas recordações eram infinitamente maiores no território dos meus pensamentos. Isso reforçou minhas esperanças na vida.

Os anos se passaram, e quando me dei conta já era uma adolescente envolta em pensamentos sempre questionadores. Ficava intrigada com a capacidade humana de superar momentos difíceis e seguir em frente, ora de forma tímida ou amedrontada, ora de maneira resiliente e transformadora. Outro assunto que ocupava a minha mente era o porquê da nossa existência e as leis que regiam o Universo. Não preciso nem dizer o quanto as disciplinas escolares de biologia, química e física me fascinavam. Elas me enchiam de esperanças, afinal tratava-se de conhecimentos que poderiam me ajudar na busca das respostas às minhas inquietantes perguntas. A biologia me abriu a visão para a beleza e a complexidade da vida, nas suas mais diversas formas. A química me deu a percepção de que tudo que existe no Universo é feito da mesma matéria-prima. Eu, você, um cachorro, um inseto ou uma bactéria somos todos feitos basicamente de carbono e hidrogênio. E a física me fez entender que de fato a existência, seja ela macro ou micro, obedece a leis previamente estabelecidas que independem da nossa vontade, mas que nos possibilitam viver com algum grau de previsibilidade. Foi por meio da física que descobri que tudo o que existe não é aleatório – não existe o caos puro, e sim o Cosmos.

E foi nessa relação de busca por respostas existenciais que a biologia, a química e a física me conduziram, de forma intuitiva e também instintiva, à escolha do que seria o meu ofício e, ao mesmo tempo, o sentido e o propósito da minha vida. Interessante é que, para mim, a medicina não foi uma escolha racional. Eu sabia que queria ajudar as pessoas, mas essa ajuda não passava por algo material ou corpóreo. Sentia que meu auxílio, fosse ele qual fosse, teria que despertar nos outros os sentimentos transcendentes que vivenciei ao me aprofundar nos estudos das ciências biológicas, da química e da física. Dentro desse espectro, pensei em ser professora de física, bióloga, historiadora, até mesmo teóloga. No ano do vestibular, estava inclinada a prestar para física, inclusive dizia a todos que me indagavam sobre minha decisão: "Ainda não estou bem certa da minha escolha, mas tenho uma certeza: não quero nem engenharia, nem medicina". No dia da inscrição para o vestibular, saí de casa com uma espécie de cola preparada por minha irmã para preencher a ficha de inscrição para o curso de odontologia. Isso mesmo, minha irmã, sempre preocupada com meu futuro, já havia se formado em odonto, tinha um consultório, e, ao perceber minha indecisão, me disse: "Você faz odonto, trabalha comigo e paralelamente cursa a física que você tanto deseja. Assim terá seu sustento e seu prazer pelo conhecimento satisfeitos".

Aos dezesseis anos, tinha a noção exata de que minha irmã desejava o melhor para mim e de que ela também tinha mais experiência de vida que eu, por isso não contestei suas orientações. Além disso, sua capacidade de organização e assertividade para questões burocráticas, aliada à minha total inabilidade para esses assuntos, me fizeram pegar a cola da inscrição com tranquilidade e confiança.

Chegado o dia, minha irmã não pôde me acompanhar, então adentrei sozinha o salão de inscrição da Cesgranrio que na minha região ficava na sede da Universidade Estadual do Rio de Janeiro (UERJ). Entrei na fila compatível com a letra inicial do meu nome; havia doze pessoas na minha frente, e enquanto aguardava minha vez, fui tomada por uma sensação de que havia algo errado. Parecia que eu estava sob um ataque, mas sem qualquer inimigo visível. Senti minha boca seca, as extremidades frias, o coração disparado e a visão levemente turva. Atrás de mim, um rapaz atento percebeu que havia de fato algo errado comigo e gentilmente me ofereceu água e biscoitos. Aceitei a água, mas recusei os biscoitos, pois estava me sentindo um pouco enjoada. Olhei para ele, e agradeci pela água. Perguntei seu nome, e ele disse: "Me chamo Caio". Após alguns minutos, e já refeita do mal-estar, puxei assunto: "Como você percebeu que eu não estava bem?". Ele então prontamente respondeu: "Você estava pálida, e seu corpo estava *oscilando*, como se estivesse tonta". Eu achei aquilo tudo muito interessante, admirei a atenção e gentileza dele e, quando me apresentei, ele logo perguntou: "Você também vai fazer medicina?". Olhei para ele e respondi de maneira bem insegura que ia fazer odonto e, enquanto respondia ao Caio, pude olhar para mim mesma e constatar que não era aquilo o que queria. Em uma espécie de impulso inexplicável, decidi que faria medicina.

Sem entender muito o que estava acontecendo, mas com o coração tranquilo, pedi ajuda ao Caio para preencher um novo formulário de inscrição, e ele prontamente pegou minha cola –

onde estava escrito "odontologia", apagou e escreveu "medicina". Para finalizar, ele me perguntou se minha primeira opção seria UERJ ou Universidade Federal do Rio de Janeiro (UFRJ). Eu respondi que era UERJ, e ele disse que a opção dele era UFRJ. A fila andou, fizemos as inscrições e, após tomarmos um café em uma barraquinha de um vendedor ambulante, desejamos boa sorte um ao outro e caminhamos para direções opostas. Quando me dei conta de que não havia anotado o telefone de Caio, olhei para trás e pude vê-lo subir no ônibus. Tarde demais...

A época do vestibular passou, e eu entrei para o curso de medicina na UERJ. Confesso que nos primeiros dois anos do curso tive algumas dificuldades, já que eram muitas matérias teóricas e nada de prática. Eu me perguntava se havia realmente feito a escolha certa, ou se compreender o Cosmos por meio da física não seria algo mais interessante e edificante. Será que a decisão de fazer medicina não havia sido um impulso de pura imaturidade? Com essas indagações, finalizei o ciclo básico. Ao começar o terceiro ano de medicina, finalmente a parte clínica teve início; tínhamos contato direto com os pacientes todas as manhãs e na parte da tarde nos dedicávamos às matérias teóricas. Aí, sim, as coisas começaram a mudar, especialmente quando assisti a uma palestra sobre a consciência com o professor Osvaldo Luiz Saide (médico psiquiatra, professor assistente da cadeira de psiquiatria da faculdade).

Lembro como se fosse hoje: fecho meus olhos e lá estamos, eu e meus colegas no auditório principal do Hospital Pedro Ernesto, no bairro de Vila Isabel, no Rio de Janeiro. E aquilo que deveria ser mais uma das palestras do nosso vasto currículo no curso de medicina acabou se tornando fundamental para mim. Em uma manhã ensolarada de sexta-feira, um homem franzino e muito branco adentrou aquele auditório repleto de alunos, subiu no tablado e desenhou na lousa à sua frente o seguinte gráfico:

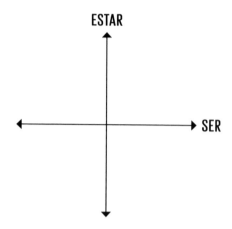

Em tom provocador e entusiasmado, ele entonou em voz firme e forte a seguinte questão: "O que é consciência?". O impetuoso questionamento foi acompanhado de um silêncio um tanto constrangedor, que tomava conta do ambiente.

De maneira instintiva, me lancei a responder a desafiadora pergunta e disse: "Professor, quando ouço a palavra consciência, dois sentimentos me vêm à cabeça. Um de ordem prática – ou seja, se estou acordada ou não – e outro de ordem subjetiva, que me remete ao fato de eu ser consciente de quem eu sou e qual o meu papel no mundo".

Com um sorriso de aprovação, o professor continuou dizendo: "Em parte, você já explicou o gráfico aqui colocado e, de certa forma, seu ponto de vista está correto. Agora vou explicar melhor o que é estar consciente e ser consciente".

Estar consciente é um estado momentâneo no qual fazemos uso da razão para processar os fatos que vivenciamos. Ser consciente refere-se à nossa maneira de existir no mundo. É como conduzimos nossa vida e, em especial, às ligações emocionais que estabelecemos com as pessoas e as coisas em nosso dia a dia. Em última instância, ser consciente é ser capaz de amar – foi como concluiu o professor.

Ao soar do sinal, a maioria dos alunos se levantou, deixando o anfiteatro vazio. Por alguns minutos, eu fiquei ali, pensativa, como se algo tivesse me atingido de forma estranha e paralisante. De longe, observei o professor Osvaldo saindo, quando ele fez um gesto discreto de despedida, ao qual, sem querer, não consegui responder. Na minha mente, as palavras ainda ecoavam estridentes: consciência e amor. Eu não sabia explicar o porquê, mas naquele momento fui tomada por duas inquestionáveis certezas: a de que eu estava consciente de tudo o que tinha ouvido e também experimentava uma emoção transcendente por estar lúcida; e a de querer uma vida nova baseada em ser alguém melhor para mim mesma e para todos os outros ao meu redor.

Aquela aula foi decisiva na minha vida e, a partir daquele dia, eu compreendi que a minha vida profissional deveria ser uma harmoniosa relação entre a razão científica e a afetividade exercida nas relações interpessoais estabelecidas com todos que cruzassem meu caminho. Eu queria ser uma médica do corpo físico e também da alma.

A essa altura, você deve estar se perguntando o que tudo isso tem a ver com o tema deste livro, que é a felicidade. Pois é, e a tal da felicidade, onde entra? Para falar a verdade, naquela época, década de 80 do século passado, eu também não associava nada daquilo com a felicidade em si. No entanto, hoje vejo de forma clara e cristalina que o portal da felicidade me foi aberto naquela sexta-feira ensolarada de 1985.

O que eu fiz desde então foi caminhar nessa estrada com o coração repleto de esperança de estar fazendo o que o Cosmos ou o UNO Supremo espera de mim, ou seja, de estar exercendo da melhor maneira possível a condição de ser um ser humano de verdade nessa breve vivência material.

E, quando alguém me pergunta: "Mas aonde você quer chegar?", eu simplesmente respondo, primeiro para mim mesma e depois para quem me perguntou: "Eu não sei, mas isso não tem a menor importância, pois o que importa mesmo é me manter nessa trilha tendo a paz interior como a melodia de fundo". E é exatamente isso que me proponho com este livro: dividir com vocês tudo que pude aprender sobre o verbo "felicidar", o aqui e agora, o dia após dia, até que a vida acabe – ou até que a vida mude de forma.

Felicidar é uma palavra que utilizo para tentar abranger tudo o que pode contribuir para a nossa prática diária de ser feliz. Por isso, reuni neste livro alguns dados racionais de conteúdo científico, pensamentos filosóficos, além de crenças psicológicas, culturais e pessoais. Não tenho a pretensão de fazer o seu *script* para a felicidade. Estamos aqui para nos lapidarmos até que reste o que há de melhor em nós. Nesse ponto, somos todos iguais, ainda que muitos não consigam ainda perceber esse processo. Dentro desse contexto, se dê à vida para receber dela belas estradas. Você certamente será feliz na própria caminhada.

Agora prepare sua mente, pois a nossa jornada de "felicidar" vai começar!

*Será que estamos
buscando a felicidade nos
lugares e no tempo certos?*

1
VOCÊ É FELIZ?
Questionário dos níveis de felicidade

A proposta essencial deste livro é abrir uma reflexão sincera e profunda sobre o que é a felicidade, os fatores internos e externos capazes de influenciá-la e principalmente entender por que os seres humanos estão cada dia mais se sentindo infelizes. E, para iniciarmos essa desafiadora jornada, proponho uma simples e direta pergunta: você que está lendo este livro é feliz? Você não precisa nem deve responder agora, pois apesar de parecer um questionamento simples, de simples ele não tem nada. A busca da felicidade ocupa a mente da humanidade há milênios, e muitos pensadores dedicaram suas vidas para este fim. Muitos se perderam nesse caminho, outros se desiludiram com o que encontraram, mas para nossa sorte, muitos também conseguiram praticar seus próprios ensinamentos e nos deixaram um legado de dignidade baseado em princípios, virtudes e sabedoria que nos encantam até hoje. Um dos exemplos mais concretos dessa dignidade humana foi o filósofo Sócrates, que por suas ideias foi condenado à morte. Teve a chance de ser absolvido e, para isso, bastava negar suas ideias, o que não fez. No dia da morte de Sócrates, ele reuniu os alunos e, como se fosse qualquer outro dia, dividiu com eles seus conhecimentos e lhes ofereceu uma de suas mais brilhantes aulas. Ao morrer, com plena serenidade, deixou um ensinamento final de que só vale a pena viver se estivermos prontos para morrer pelo que acreditamos.

Todo mundo está sempre esperando por alguma coisa, e em cima disso fazemos projetos para um futuro próximo ou mesmo longínquo. Dentre esses tantos projetos, a felicidade é o mais comum entre eles. Estamos sempre projetando e esperando pela felicidade futura. Mas será que estamos buscando a felicidade nos lugares e no tempo certos? E será que sabemos o que estamos buscando, afinal de contas?

O processo de "espera pela felicidade" na vida humana segue um tipo de ciclo de acontecimentos. Quando crianças, esperamos pelo aniversário, pelas festas de Natal e Ano-Novo e pelas férias escolares. Já adolescentes, esperamos pelas primeiras experiências, como o primeiro beijo, a primeira relação sexual. Depois, esperamos pelo vestibular, pelo primeiro dia de aula na faculdade, pelo primeiro estágio, pelo primeiro emprego e pelo primeiro salário. E aí nos tornamos adultos e esperamos o dia que encontraremos a pessoa certa, o dia do casamento, o emprego dos sonhos, o nascimento do primeiro filho, a compra da casa tão sonhada, as viagens, e por aí vai, até a tão sonhada aposentadoria, quando iremos enfim descansar e fazer tudo que não tivemos tempo de fazer antes. Nesse ciclo de busca pela felicidade, culturalmente validado, nós simplesmente vivemos esperando pelos dias em que seremos felizes.

Esse ciclo contínuo nos projeta sempre para o futuro, para um tempo que não existe e nos desconecta do presente – o único e verdadeiro tempo. Viver de expectativas pode nos trazer muito sofrimento, angústia e ansiedade, a maioria delas virtuais e irreais. Mas, então, por que vivemos pensando no futuro? Por que será que não conseguimos ser felizes no presente? Você já parou para se perguntar sobre isso? Pois, então, agora é o momento de refletir sobre sua vida e de responder essa e muitas outras perguntas que certamente você mesmo já se fez antes.

Para facilitar a sua busca por respostas e orientar a realização de um projeto genuíno de felicidade, resolvi elaborar um questionário baseado em vivências empíricas ao longo de mais de trinta anos de vida profissional diária. Eu me vali também de estudos, pesquisas, livros diversos e do convívio com incontáveis pessoas que cruzaram meu caminho e me ofereceram preciosos ensinamentos.

Desenvolvi este teste em parceria com Helena Mello, com base no teste de felicidade da Universidade de Harvard. Sente-se em um lugar tranquilo e, de forma espontânea e sincera, responda com SIM ou NÃO as cinquentas perguntas a seguir. De antemão, lhe digo que a atividade não vale nota: o objetivo final é criar uma ferramenta de autoavaliação que servirá de guia para a sua jornada rumo a uma possibilidade de felicidade verdadeira. Só de respondê-las você já estará refletindo sobre práticas que podem proporcionar uma sensação de felicidade no seu dia a dia.

SITUAÇÕES COTIDIANAS	SIM	NÃO
Ajudar alguém te faz bem?		
Faz exercícios físicos com frequência?		
Consegue viver mais no presente do que no passado?		
Consegue viver mais no presente do que no futuro?		
Agradece com frequência?		
Frequentemente, é gentil com pessoas que não conhece?		
Acorda se sentindo descansado?		
Alimenta-se bem, come de forma saudável e sem exageros?		
Comemora as pequenas conquistas?		
Costuma praticar algum tipo de meditação?		
Abraça alguém com frequência?		
Lembra-se da última vez que riu de si mesmo?		
Tem contato frequente com a natureza?		
Já fez as pazes com alguém com quem brigou?		
Considera-se uma pessoa com fé?		
Pede desculpas frequentemente?		

Acredita na sua capacidade?		
Conhece seus dons?		
Conhece o seu propósito de vida e está alinhado com ele?		
É sincero consigo mesmo e com as pessoas a sua volta?		
Para você, tomar decisões é uma tarefa fácil?		
Passa menos de duas horas por dia em frente à TV ou nas redes sociais?		
Consegue gastar menos do que você ganha?		
Bebe dois litros ou mais de água por dia?		
Acredita que tem um efeito alegre em relação aos outros?		
Faz suas obrigações sem reclamar?		
Gosta e tem admiração por si mesmo?		
Gosta de mudanças?		
Gosta de aprender?		
Gosta de ensinar?		
Possui metas claras para sua vida?		
Tem relacionamentos saudáveis? Tem amigos verdadeiros?		
Já deixou de comprar algo por que não tinha utilidade na sua vida?		
Sabe quais são as prioridades da sua vida?		
Consegue esquecer o celular em casa e não voltar para buscar?		
Considera-se uma pessoa interessante?		
Lembra-se da última vez que elogiou alguém verdadeiramente?		
Sabe se perdoar?		
Sabe aceitar ajuda?		
É uma pessoa otimista com a vida?		
Sente que tem muita energia?		
Tem memórias felizes do passado?		
O sofrimento do outro mexe com você?		
Já corrigiu algum erro mudando na prática?		
Já abriu mão de um benefício pessoal por outra pessoa?		
Acredita que o mundo é um lugar bom?		
Confia na maioria das pessoas ao seu redor?		
Sabe que a sua felicidade não está nas mãos dos outros?		
Usa sua criatividade e imaginação no dia a dia?		
Considera-se uma pessoa resiliente?		
Total		

Agora vamos ao seu resultado. Estabeleci cinco níveis de contentamento, de acordo com as respostas afirmativas, e são eles:

RESPOSTAS AFIRMATIVAS

De 1 a 10
A sua saúde está em jogo e, além de aparentemente passar despercebido pela vida, você também parece estar descontente com ela. Está na hora de refletir sobre o que pode ser mudado e o que pode fazer por você a partir de hoje. Sem se prender ao futuro ou ao seu passado, a mudança precisa vir.

De 11 a 20
Como muitas pessoas, você se sente deslocado do mundo a sua volta. A rotina de dormir, acordar, comer e dormir de novo sem qualquer propósito pode estar fazendo muito mal para você. O sinal de alerta já está ligado, e agora cabe a você se concentrar em coisas que o conectem mais com pessoas e atividades de que goste.

De 21 a 30
Você está na média. O que não é bom nem é ruim, mas pode melhorar. Muitas vezes, a apatia de não se incomodar com problemas ou não se alegrar com conquistas precisa ser melhor trabalhada em você. Procure se voltar mais para o momento presente e para as pessoas que estão ao seu redor.

De 31 a 40
Você está no caminho certo. É claro que podemos melhorar algumas coisas para transformar nossa jornada em algo mais proveitoso e mais feliz. Acredite, nenhuma transformação ocorre do dia para a noite, mas dar o primeiro passo nunca foi tão importante.

De 41 a 50
Parabéns! Você faz parte de uma pequena parcela que se sente verdadeiramente contente com a sua vida. Você presta atenção no que é importante, tem relacionamentos saudáveis com as pessoas a sua volta e sempre procura fazer algo por si mesmo.

Faço uma advertência ao meu leitor. Se sua pontuação disser que você é feliz, não acredite de imediato. Os parâmetros que nossa sociedade – ocidental, altamente técnica e focada em resultados instantâneos – nos impõe sobre felicidade são baseados via de regra em questões materiais. Entretanto, se você obteve um resultado ruim, não se desespere, sobretudo porque grande parte da população vive abaixo da linha média da felicidade. Conceitos sobre felicidade são móveis, difíceis de mensurar, e o melhor que há em tudo é o caminho, não a linha de chegada. Este livro, espero, fará você rever seus conceitos.

*Quem acha que sabe tudo sobre
a felicidade, provavelmente está
bem distante dela.*

2
SEPARANDO O JOIO DO TRIGO

Antes de seguirmos adiante, gostaria de dividir com você alguns conceitos e dados que demonstram como o assunto felicidade é complexo. Todos almejam ser felizes, mas a maioria das pessoas têm fracassado nessa busca. Percebo que o principal motivo é a própria ignorância humana sobre o objeto que se quer encontrar: a felicidade genuína. Sem saber o ponto de chegada, nenhuma caminhada poderá lograr sucesso. Como dizem os sábios, o caminho se apresenta aos discípulos que estão prontos.

Alegria, prazer, satisfação e felicidade: cada coisa no seu lugar

Poucas pessoas são capazes de diferenciar a alegria do prazer, da satisfação e da felicidade. E, se quisermos de fato saber o que é felicidade de verdade, temos que iniciar nossa trajetória definindo o que significa cada uma dessas palavras.

A alegria pode ser definida como uma emoção positiva capaz de produzir uma sensação agradável para os indivíduos que a sentem e também para os demais ao redor, que costumam ser contagiados pela simples observação de alegria em ação. Quem nunca vivenciou a sensação boa e revigorante de ser contagiado por um sorriso sincero ou por uma gargalhada espontânea? Por ser uma emoção, a alegria é sempre momentânea e dependente de um acontecimento que ocorre em um dado instante. A alegria é instável e passageira, tal qual as nuvens que adoramos ver passar no céu.

O prazer pode ser definido como uma intensa e imediata sensação de alegria ligada à satisfação de um desejo. Como a maioria dos nossos desejos são inconscientes e irracionais, eles podem gerar prazeres associados tanto a coisas boas quanto ruins. O exemplo mais evidente relacionado a consequências negativas é o prazer advindo do uso de substâncias químicas. Inicialmente, elas são capazes de oferecer intensa sensação de bem-estar a seus usuários; no entanto, com o tempo e a frequência de uso, quem delas faz uso pode desenvolver uma compulsão escravizante, em que o prazer inicial dá lugar a uma insatisfação crônica e a um mal-estar debilitante e constante.

A satisfação é um sentimento que experimentamos ao realizar algo de maneira adequada. Assim, nos sentimos satisfeitos ao comer uma refeição quando temos fome, pois ela é capaz de suprir nossa necessidade de alimentação. A satisfação atende necessidades fisiológicas, como fome, sono ou higiene, e psicológicas, como atenção, carinho ou cuidado, mas tudo em uma medida certa ou equilibrada.

A palavra felicidade vem do latim *felix*, que originalmente se referia a algo fértil, fecundo ou frutuoso. Por essa simples associação etimológica, podemos perceber que ser feliz guarda estreita relação com o que há de melhor em nós e que pode e deve ser compartilhado com os outros. Dessa forma, felicidade tem a ver com nossos dons, talentos fecundos, como os colocamos em prática para frutificarmos e darmos sentido à vida, e também como os utilizamos como fator de soma na vida dos que nos cercam.

Uma árvore leva anos para crescer, amadurecer e produzir seus frutos que irão alimentar diversos seres vivos de diferentes espécies. A árvore jamais provará de seus frutos, mesmo assim ela se empenha em cumprir sua missão de produzi-los em maior quantidade e com a máxima qualidade. A felicidade da árvore está em entregar o seu melhor, contribuindo para o ciclo da vida, seguindo as leis da natureza.

Como seres humanos, também precisamos passar por um longo processo de aperfeiçoamento para cumprirmos nossa missão na grande ciranda da vida. Despertar para essa verdade e seguir na direção do bem fazer independentemente das circunstâncias: isso constitui a única e verdadeira felicidade humana. Como diz a canção gravada por Marcelo Jeneci, felicidade é questão de ser!

Idade × felicidade

Devo confessar que grande parte das minhas percepções sobre bem-estar ou felicidade vieram com o tempo. Não tenho dúvida de que isso tem a ver com o amadurecimento e o autoconhecimento que adquirimos com o passar dos anos. Sempre tive uma grande curiosidade sobre o ser humano, seus desejos, pensamentos, sonhos, sentimentos e principalmente sobre o propósito de sua existência. No entanto, somente entre os quarenta e cinquenta anos pude me aprofundar nessas questões. De forma natural, passei a ler mais sobre questões existenciais e tenho certeza de que esse processo foi essencial para o sentimento de felicidade duradoura e incondicional que vivencio hoje em minha vida. Será que a idade é um fator determinante para a felicidade?

Para dar uma resposta mais abrangente a esse questionamento, recorri a alguns estudos sobre esse aspecto. Um deles (a pesquisa do Fórum Econômico Mundial, na agenda global de saúde mental – que contempla 51 países e mais de 1,3 milhão de pessoas) revelou que grupos mais jovens (de dezesseis a dezenove anos), assim como grupos mais velhos (pessoas acima dos 65 anos) apresentam níveis mais elevados de bem-estar duradouro. O mesmo estudo evidencia taxas mais altas de depressão e ansiedade patológica nos adultos entre 45 e 59 anos. A partir dos sessenta anos, as taxas de ocorrência desses transtornos tendem a reduzir.

Outro estudo ("Happiness and life satisfaction", publicada em 2017 por Esteban Ortiz-Ospina e Max Roser) evidenciou que os picos de felicidade estão relacionados ao propósito e ao valor que atribuímos às nossas vidas. Os grupos que apresentam maiores índices de satisfação pessoal e sentimentos de felicidade eram as pessoas que acreditavam no que faziam e atribuíam sentido e propósito às suas vidas por meio do exercício diário desses afazeres. Elas sentiam que eram coerentes consigo mesmas e úteis para os outros.

Os gráficos a seguir analisam a faixa etária das pessoas e suas percepções de felicidade, valor e autossatisfação.

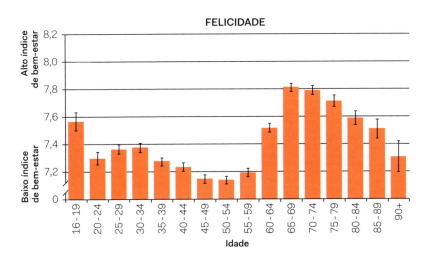

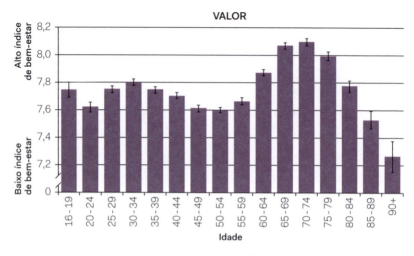

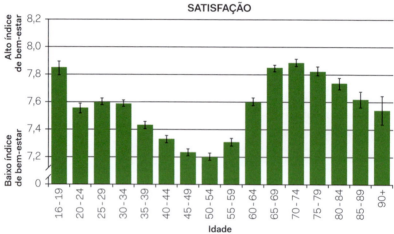

Imagem: adaptado de "Happiness and life satisfaction", Esteban Ortiz-Ospina e Max Roser.

Felicidade interna bruta: você sabe o que é isso?

Com certeza você já ouviu falar em PIB, o Produto Interno Bruto. Esse índice existe para quantificar a riqueza produzida por um país. Durante muito tempo, os economistas defenderam a ideia única de que bastava aumentar o PIB de um país para que seu povo fosse automaticamente mais feliz. Ledo engano, ou verdade parcial, pois o aumento do poder aquisitivo das pessoas de fato gera um aumento na percepção de bem-estar; no entanto, essa equivalência ocorre até um determinado ponto em que as necessidades de saúde, educação, cultura e lazer são minimamente satisfeitas. No entanto, quando os níveis financeiros se elevam bem acima desses patamares, o que se observa é um excesso de transtornos mentais relacionados aos quadros de ansiedade, depressão e vícios diversos (como sexo, drogas, comida, internet e jogos).

Um país chamado Butão, localizado na região ao sul da China, iniciou há alguns anos uma política de valorização do bem-estar da população e, para isso, criou o índice de Felicidade Interna Bruta (FIB). Esse índice avalia os níveis de satisfação pessoal por meio da educação, da saúde e da cultura. Se a população se mostra insatisfeita com um deles, políticas públicas são efetuadas para que melhorias sejam oferecidas nesse sentido. O FIB é um índice que aponta como fatores externos relacionados à construção de uma condição de vida mais abrangente é fundamental para níveis de bem-estar, especialmente relacionados aos aspectos sociais.

Os países nórdicos são mais felizes?

Finlândia, Dinamarca, Noruega, Islândia e Suécia são países com o clima muito frio e altos índices de felicidade. O *World Happiness Report* (Relatório Mundial de Felicidade) aponta que os países nórdicos estão situados no topo do ranking de felicidade. Esse relatório avalia os seguintes aspectos: expectativa de vida, saúde, apoio social, índices de corrupção e renda média familiar, além de níveis de liberdade e confiança da população. Apesar de pagarem algo em torno de 50% em impostos sobre seus ganhos, os cidadãos da Dinamarca avaliam que esses valores são bem aplicados e revertidos a toda a população por meio de serviços públicos de qualidade (saúde, educação, auxílios sociais etc.). Grande parte das percepções de bem-estar está baseada na relação de confiança que as pessoas têm com seus governantes. Mas nem tudo são flores nos países nórdicos. Um recente relatório da Organização Mundial de Saúde revelou que um terço das mortes na Finlândia decorrem de suicídio e que na Dinamarca quase 25% da população sofre de transtornos mentais.

Depois de tantas informações sobre a felicidade apresentadas neste capítulo, podemos refletir que o assunto é muito abrangente e que inclui diversos aspectos. Todos precisam ser pensados e muitos revistos. A felicidade não pode ser vista apenas sob a ótica de fatores individuais, como idade, nacionalidade ou renda *per capita*. Muitos outros elementos precisam ser colocados na mesa. Quem acha que sabe tudo sobre a felicidade provavelmente está bem distante dela. Mas não se desanime, pois o desenrolar dessa longa história sobre a humanidade e sua eterna busca pela felicidade começa agora. E, se ao terminar a leitura deste livro você se perceber uma pessoa um pouquinho melhor consigo mesma e com tudo ao seu redor, tenha certeza de que a felicidade sorriu para você e, por tabela, para mim também.

Para atingirmos alguma felicidade autêntica precisamos "ser" mais e "ter" menos.

3
A DITADURA DA FELICIDADE

Todo ano as cenas se repetem: entramos no mês de dezembro e uma espécie de furor consumista, de busca insaciável por alegria toma conta de uma grande parte da população mundial, especialmente no mundo ocidental. No Natal, todos querem presentear e serem presenteados. No rol de ilusões de felicidade, alguns eventos festivos merecem destaque, como o Natal, o Réveillon, o Carnaval e o Dia dos Namorados. Nessas datas cria-se uma espécie de obrigação de se estar feliz, ou pelo menos, de transparecer felicidade. A grande pergunta que nos fazemos é: como estar sempre feliz nessas datas? É óbvio que a resposta mais sincera e adequada é que não existe um só ser humano que possa estar sempre feliz e alegre em todas as ocasiões da vida, e com as datas de "felicidade obrigatória" essa realidade não seria diferente.

Os profissionais de publicidade e marketing sabem muito bem que alegria e felicidade não são constantes no dia a dia das pessoas e, por isso mesmo, precisam ser estimuladas com frequência. Se não existe uma variável constante de felicidade, então são produzidos estereótipos do que significa ser feliz no ambiente sociocultural em que cada um vive. Não é por outra razão que as pesquisas de vendas e consumo utilizam as expressões classes sociais A, B, C e D para se referirem ao poder aquisitivo das pessoas e, assim, melhor classificá-las.

Nesse paradigma, o Natal funciona como uma espécie de Disneylândia de compras e presentes, o Ano-Novo é uma data mágica com festas incríveis e imperdíveis nas quais você precisa estar presente para ser feliz na virada e durante todo o restante do ano que se inicia. Já no Carnaval, a ditadura da felicidade é ainda mais intensa. Vale tudo nos dias de folia; só não vale ficar sozinho, triste ou sereno.

O mesmo esquema de alegria e felicidade compulsória vale para as datas como aniversários, Dia dos Namorados, formaturas, casamentos e feriados prolongados. Seja onde, quando e como for, deve-se ser feliz a todo custo. Caso não seja possível, ao menos transparece-se essa aura nas fotos, que também de forma compulsória serão postadas nas redes sociais. De forma incisiva e manipuladora, a sociedade do hiperconsumo nos faz acreditar que os sujeitos que não estão alegres são *losers*: fracassados ou perdedores. Esse rótulo cria uma espécie de rejeição social aos seus portadores.

Essa ditadura da felicidade não passa de uma ilusão muito bem montada para que se consuma mais e mais produtos, objetos e experiências de lazer ou turismo. Tudo isso com o intuito de fazer com que as engrenagens econômicas de uma sociedade consumista se mantenham sempre aquecidas e em pleno funcionamento.

Ser feliz ou ter felicidade

Em uma sociedade materialista, a maioria de nós vive sem ao menos suspeitar o que de fato é a felicidade como algo não palpável. Sem um mínimo de autoconhecimento, perdemos o poder de sermos livres e libertos dos clichês e estereótipos sociais de felicidade, como a autoexposição, o consumo e tantas outras formas ilusórias. Acabamos por aceitar passivamente o que nos vendem como passaportes infalíveis para o modo "ter" da felicidade.

O modo "ser" de viver nos leva às posses, sim. Mas não de objetos ou de pessoas, mas de nós mesmos. É uma forma que reafirma a nossa identidade e o caráter com o qual nos relacionamos com o outro no âmbito social e afetivo. Ao vivermos no modo "ser", nossos níveis de ansiedade e adoecimento reduzem, nossas relações se tornam mais afetivas, experimentamos mais amor, empatia, paz de espírito, autoestima e respeito. Pessoas vivendo dessa forma são mais felizes consigo mesmas e deixam de ser programadas para fazer o que se espera delas.

Enquanto a sociedade alicerçada no "ser" prioriza as pessoas, aquela embasada no "ter" prioriza coisas que podem ser compradas por valores determinados pelo mercado. Infelizmente a sociedade em que vivemos tem como senso comum vigente o modo "ter" para estabelecer suas regras e seus valores. Não é por outra razão que podemos denominá-la de "sociedade consumista" ou "sociedade de produtos".

Dentro dessa proposta, o sujeito pensa que é necessário possuir tudo o que seja capaz de gerar prazer de forma intensa e imediata. E para transformar um produto em algo ainda mais valorizado, deve-se acrescentar a ele um certo grau de exclusividade. Dessa forma, quanto menos acessível for um objeto, ou mesmo uma experiência, maior valor financeiro ele terá e mais *status* dará a quem o possuir. As grandes grifes de luxo trabalham exatamente com esse conceito e, por essa razão, cobram valores exorbitantes em cada um de seus produtos. A questão aqui é: por que será que tantas pessoas caem nessa cilada como se fossem zumbis programados para fazer o que se espera que façam? Exatamente porque vivem presos nas ilusões criadas pela ditadura da felicidade, desconhecem quem são de verdade: seres humanos em processo de autoaperfeiçoamento. Limitam-se a sobreviver como humanos programados a prazeres fugazes.

A ditadura da felicidade moldando comportamentos

Antes de tudo, acho interessante estabelecer o que é ditadura. Recorrendo ao bom e necessário dicionário, a palavra quer dizer uma forma de autoritarismo no qual um governo se utiliza da força para suprimir e restringir os direitos individuais. Em sentido figurado, podemos também definir ditadura como uma influência exagerada que uma coisa, uma pessoa ou até mesmo um grupo exerce sobre os demais, a ponto de restringir o direito individual à escolha.

A ditadura a que nos referimos aqui, a da felicidade, se trata de uma ditadura em sentido figurado, mas evidencia de forma clara como o poder econômico usa a influência ideológica para ditar o comportamento – em particular o do consumo – da grande maioria da população mundial. De forma sutil, mas às vezes nem tanto, criam conceitos comportamentais associados à beleza, alimentação, sucesso, amor, autoestima, *status* ou liberdade de escolha. É claro que todas essas ditaduras escondem, por trás de suas promessas vãs, o alcance do Santo Graal da humanidade: a felicidade. Sob a influência dessa ditadura e sem conhecimento qualitativo para contestá-la por meio de reflexões factuais, caminhamos como animais de manada rumo ao comportamento padrão que o mundo espera de nós. E sem perceber, nos tornamos robôs desprovidos de vontade legítima e reproduzimos os comportamentos que são anunciados como o caminho seguro e infalível para alcançarmos a tal felicidade.

Datas comemorativas como o Natal, o Réveillon, o Dia das Mães e Dia dos Pais são usados como artifícios por essas ditaduras comportamentais. O conceito de amor, ou sua demonstração explícita, também já foi capturado. O exemplo coletivo mais expressivo dessa captura pode ser percebido no Dia dos Namorados.

Confesso que sempre comemorei essa data desde os catorze anos, idade em que vivenciei meu primeiro namoro. Sempre vi meus pais fazerem discretas e reservadas comemorações nessa ocasião; trocavam cartões, poesia, livros ou flores, e saíam para jantar sem hora para retornar. Eles nos contavam sobre a noite entre risos e dicas para o nosso futuro amoroso. E nós, eu e minha irmã, achávamos o máximo termos pais modernos e tão românticos. Essas nossas conversas, no entanto, eram uma espécie de segredo familiar, pois como já dizia minha mãe, "o amor verdadeiro não precisa de propaganda, ele se fortalece na intimidade silenciosa dos amantes". Mesmo sem entender o real significado dessa frase, por vezes me pegava refletindo sobre ela.

Pelo que observo nos relatos dos meus jovens pacientes apaixonados e nas manifestações dessa data nas redes sociais, as coisas mudaram muito. A começar pela obrigação de se estar acompanhado na ocasião, ainda que seja por alguém por quem não se tenha afetos verdadeiros e românticos. Vale tudo para não posar de solitário, encalhado ou desprezado. O comércio capricha nas propagandas para lucrar com a venda de presentes. Para onde você olha, se depara com cenas românticas comercialmente produzidas com a intenção de promover um verdadeiro bombardeio à sua mente; elas estão nos jornais, nas revistas, nos encartes publicitários, nos anúncios na TV, nas rádios, nas redes sociais e até mesmo nos antigos, mas ainda sobreviventes, *outdoors.*

Os solteiros, e também os separados, chegam a ficar constrangidos pela ausência de um par no 12 de junho. Sem um namorado ou namorada, eles são barrados de participar da grande "festa do amor" e consequentemente estarão infelizes frente aos olhos da sociedade. Os que possuem seu par também enfrentam desafios, pois além de demonstrar amor em forma de presente é preciso também fazer um textão romântico para ser postado nas redes sociais juntamente com o presente dado e recebido, além de muitas fotos em poses de pura felicidade. Não basta declarar seu amor ao parceiro ou parceira, é preciso fazê-lo de forma pública e escancarada para que o mundo veja e valide esse amor. E se todo esse ritual sufocante de comemorações e demonstrações explícitas de "amor" não for realizado, provavelmente a maioria dos casais interpretarão que seu par não o ama, ou que o ama menos do que o parceiro de outras pessoas, aquele que cumpriu à risca todas as etapas das comemorações do "dia do amor".

Faço questão de deixar claro que sou a favor das demonstrações amorosas, de preferência todos os dias, inclusive no Dia dos Namorados. Acredito e conheço um incontável número de casais que de fato celebram o amor que os une, e eles fazem isso em diversos dias do ano, inclusive, quando é possível para ambos, no Dia dos Namorados. Essa data foi utilizada apenas como exemplo para que possamos abrir nossas mentes sobre o violento e insidioso cerceamento de ideias e comportamentos ao qual somos submetidos todos os dias e que acaba por pautar nossas escolhas e a vida que construímos com elas. E, se não entendermos a origem automática da maioria das nossas crenças e atitudes no dia a dia, estaremos condenados a viver sobre as rédeas das diversas ditaduras ideológicas e comportamentais que pautam nossas vidas como meros números destinados a multiplicar os dividendos, sem qualquer preocupação com nossa felicidade.

Por que a ditadura da felicidade é incapaz de produzir seres felizes?

Há sempre quem veja com bons olhos a ideia de se ter alguém ou alguns que pautem as nossas ações e opiniões. Ou são pessoas que se beneficiam diretamente dos ganhos produzidos por essa lógica a que se submetem, ou, por outro lado, são as vítimas dessa lógica. Por vezes, essas pessoas gostam de permanecer em zonas de conforto porque acreditam que assim se vive mais e melhor. Acredito, no entanto, que a maioria absoluta das pessoas segue a maré por total desconhecimento da história dos fatos, do funcionamento cerebral e da natureza dos seres humanos.

Se as propagadas ditaduras comportamentais e ideológicas fossem capazes de produzir pessoas felizes, nós estaríamos vivendo o período de maior nível de felicidade em toda a história da humanidade, o que não parece ser o caso. Os seres humanos nunca tiveram tanto acesso a bens materiais, recursos tecnológicos e tempo em forma de longevidade. De maneira paradoxal, nunca tivemos tantas pessoas insatisfeitas, ansiosas, deprimidas e compulsivas por comida, drogas, compras, jogos, sexo, entre tantos outros. E onde falhamos? Será que oferecer conforto, farta alimentação e prazer às pessoas é ruim? Sinceramente, não vejo por esse caminho; acredito que todos merecem e necessitam de certa base material para viver com dignidade. Entretanto, a partir do século XVIII, com a Revolução Industrial, estabelecemos um sistema econômico que passou a priorizar a produção e o lucro em detrimento da ética e dos valores humanos. "Ter" passou a ser uma necessidade coletiva, que visava alimentar de forma desmedida o crescimento do próprio sistema. Dessa maneira, cada indivíduo passou a ter que produzir (em forma de trabalho) e consumir os objetos advindos das indústrias nascentes. Essa dinâmica econômica se espalhou rapidamente por grande parte do hemisfério Norte durante todo o século XIX e início do século XX, e depois foi atingindo os países do hemisfério Sul de forma mais lenta. Até os dias atuais vemos os resquícios dessa estratégia, com os países ao norte da Linha do Equador bem mais industrializados e desenvolvidos, e os localizados ao sul com economias mais pautadas na produção de matérias-primas sem valor agregado. Esses países ficaram encarregados de enviar material para as indústrias estrangeiras e depois consumir os produtos industrializados por preços muito maiores.

Nesse novo cenário, consumir passou a ser a maneira mais rápida e eficaz de "ter" e, mesmo em uma sociedade com abundância produtiva, esses dois verbos ("ser" e "ter") viraram quase que sinônimos absolutos. No entanto, o consumo guarda em si um efeito colateral inevitável: se, em um primeiro momento, o ato de consumir gera um estado de alegria ou de euforia momentânea, diminuindo parte da nossa ansiedade ou tristeza, com o tempo nós nos viciamos nessa sensação abstrata de prazer e passamos a comprar mais e mais, na tentativa ilusória de criar um estado permanente de satisfação. Assim, quanto mais compramos, mais rapidamente perdemos o caráter ansiolítico e prazeroso do ato de consumir. Forma-se então o ciclo vicioso que aprisiona milhares de pessoas no mundo inteiro. Todos sob a submissão da ditadura da felicidade que de forma ardilosa criou, propagou e incentivou a crença falaciosa de que quanto maior a capacidade de compra, maior será a sensação de felicidade de um indivíduo. Por meio dessa visão ilusória, a capacidade de ser feliz é ilimitada e diretamente proporcional ao poder de consumo de cada um.

Nesse panorama enganoso de excessos, acabamos confundindo o modo "ser" com o modo "ter" de viver: nossa identidade é avaliada pela quantidade e pelo valor dos produtos que consumimos. E, quando isso ocorre, deixamos de ser agentes ativos do consumo para nos transformarmos em "mercadorias". Deixamos de ser quem realmente somos, perdemos nossa subjetividade e, feitos robôs bem-programados, exibimos ou ostentamos outras mercadorias e, dessa forma, vamos camuflando nossos vazios existenciais.

E não para por aí a odisseia humana na busca material da felicidade. Após perderem a identidade e virarem mercadorias, o grande desafio que se impõe é que todos querem ser "produtos" desejados e que agregam *status*, e para isso concentram-se em um esforço sem fim para se manterem atraentes, valorizados e especialmente vendáveis em seu ambiente social, presencial ou on-line.

Se você acredita que estou exagerando, sugiro que vá a um ambiente escolar de ensino fundamental e pergunte a uma criança o que ela quer ser quando adulta. Observe que as meninas e os meninos tenderão a responder diversos ofícios, mas todos terão em comum o desejo ardente por fama, *status*, visibilidade, grifes e outros símbolos de ostentação material, mesmo que isso não esteja explícito em suas falas. Muitos desejam ser celebridades, mesmo que por um curto espaço de tempo, as denominadas celebridades instantâneas que são produzidas rapidamente em ambiente virtual para estimular que outros sigam o mesmo caminho de busca pela felicidade pré-fabricada. Depois de esgotado o tema (o que também acontece rápido), esse mesmo mecanismo produz novas celebridades do momento, e descarta a maioria absoluta da produção anterior. É tudo muito rápido e eficiente: são muitos produtos novos e poucos sobrevivem por um ano, pois precisam dar lugar aos lançamentos recém-fabricados. A linha de produção não pode parar, pois os lucros precisam ser sempre maiores e, de preferência, infinitos.

Na sociedade consumista, o modo "ser" de existir é desestimulado de todas as maneiras, pois "ser" não demanda nem consumo nem a obtenção de lucro. Uma pessoa satisfeita com a sua aparência, com seu ofício, com seus afetos e valores éticos não necessita consumir de forma abusiva ou compulsiva. Ela simplesmente vive voltada para a sua essência e para seus afetos verdadeiros. A sensação de felicidade é apenas consequência do bem viver.

Em uma sociedade como a nossa, aprendemos desde muito cedo a paixão pelo "ter"; a competitividade que faz do colega um inimigo em potencial, o egoísmo que leva ao querer "ter" de forma exclusivista, a não partilhar, a não se importar... Enfim, a ser quase nada, mas com uma "embalagem" de ser humano amável, equilibrado, sorridente e muito produtivo.

Para atingirmos alguma felicidade autêntica precisamos "ser" mais e "ter" menos. Talvez esse seja o maior desafio dos nossos dias.

Por que adoecemos na ditadura da felicidade?

Viver essa dualidade constante entre o "ser" e o "ter", mesmo que de forma inconsciente, contraria nosso caráter de seres sociais. Somos dependentes das nossas relações interpessoais para nos desenvolvermos como indivíduos e como espécie. Entre milhares de outras espécies animais, nos destacamos justamente por nossas habilidades sociais. Edificamos nossa civilização alicerçados no senso ético e moral, e até mesmo de solidariedade. Nenhum ser humano é capaz de concretizar uma "obra" – seja ela da natureza que for – de forma solitária. O melhor de todos os engenheiros do mundo jamais conseguirá erguer um edifício ou uma ponte sem contar com o esforço e a dedicação de muitos outros trabalhadores. É a nossa capacidade de organização e cooperação coletiva que nos faz realizar coisas incríveis no mundo.

Nosso senso de solidariedade surge, por exemplo, quando nos deparamos com tragédias de grande porte, como os rompimentos das barragens de rejeitos de minério de ferro em Minas Gerais (em Mariana, em 2015, e Brumadinho, em 2019), tsunamis, enchentes, ciclones, terremotos, entre outros. Em poucas horas, um exército de voluntários se organiza para socorrer vitimados, e tudo ocorre sem qualquer ordem oficial. Outras situações que evidenciam nosso senso de coletividade são os eventos históricos que demonstram a força positiva da nossa espécie, tais como descobertas científicas que resultam na erradicação de doenças. É por isso que nos entristecemos com as tragédias e nos alegramos com as conquistas da espécie humana. De alguma forma, temos o poder da interconectividade social, que faz o velho ditado "a união faz a força" provar-se verdadeiro.

Você agora deve estar se perguntando: se somos tão solidários, por que a humanidade vive tão infeliz? Por que é que uma parcela imensa dos seres humanos vive tão ansiosa, deprimida, dependente ou com comportamentos autodestrutivos? Além de termos um senso de solidariedade e compaixão, também somos dotados de uma inteligência estratégica que nos dá o poder de escolha, que pode ser manipulada pela cultura à qual somos expostos em determinado grupo social. Dessa forma, a cultura do "ter", dominante em nossa sociedade consumista, influencia de maneira intensa e persuasiva nossa inteligência para que sejamos capazes de nos enganarmos, a fim de nos tornarmos peças eficientes em manter esse mecanismo social em pleno funcionamento. Com nossa inteligência entorpecida pela ideologia, vamos, quase que roboticamente, nos tornando consumidores contumazes, insaciáveis e com sentimento constante de ansiedade e insatisfação. Nesse momento, se tivermos a percepção de que níveis elevados de ansiedade e sentimentos constantes de insatisfação são sinais de alerta emitidos por nossas mentes e almas clamando por mudanças comportamentais, poderemos retomar as rédeas de nossas vidas e nos redescobrirmos seres humanos de verdade, mais alinhados com valores e práticas altruístas e solidárias. Por isso digo e repito quantas vezes se faça necessário para mim mesma e para todos que se interessem em ouvir: sem conhecimento e autoconhecimento nunca seremos verdadeiramente livres. E sem liberdade para sermos quem somos, jamais cumpriremos as missões a que fomos destinados. E, enquanto estivermos fora desse caminho, seremos incapazes de sentir e de vivenciar o que de fato é a felicidade.

Ser quem se é e dar sentido à existência é uma caminhada longa e desafiadora, mas o mais extraordinário é que a felicidade verdadeira é encontrada exatamente nessa trajetória. Parafraseando "Enquanto houver sol", uma bela canção dos Titãs, "É caminhando que se faz o caminho". E que se encontra a felicidade também.

*Ninguém cresce em valores e
virtudes sem ser posto à prova.*

4
FAKE NEWS DA FELICIDADE

O termo *fake news* entrou para o nosso vocabulário recentemente, e significa a notícia falsa espalhada de forma viral que visa enganar alguém. As falsas crenças e expectativas determinam ações equivocadas frente aos acontecimentos. Dessa forma, a vida não segue o *script* dos nossos desejos, ela simplesmente segue o roteiro de qualquer outra vida: nascimento, esforço, mudanças, crescimento, desafios, perdas, ganhos, risadas, choros dias sim, dias não, amores, dores, traições, mágoas, perdão, tudo segue um fluxo de altos e baixos cíclicos e aparentemente infinitos. Acreditar em uma fórmula mágica para mudar esse fluxo de acontecimentos vitais é assinar um contrato eterno de sofrimento e adoecimento. Quando atribuímos a certas coisas o poder de nos fazer felizes, estamos estreitando nossa visão sobre nós mesmos e sobre a própria existência. Fomos feitos para viver a vida com todas as suas nuances e por isso mesmo somos dotados de reservas psicológicas imensas que se manifestam quando enfrentamos situações críticas. Se aceitamos os fatos da vida de forma natural, essas reservas serão acionadas, e descobriremos que somos aptos a seguir.

Com base em minha experiência clínica, pude constatar que existem falsas expectativas e crenças muito frequentes entre as pessoas que sofrem de transtornos ansiosos e depressivos. Entre eles, cito os mais significativos a seguir.

É impossível ser feliz sozinho

A música "Wave", de Tom Jobim, é linda, mas contribui muito para reforçar essa falsa expectativa de felicidade. A onda sertaneja também propaga a tristeza dos amores desfeitos e a infelicidade duradoura que eles produzem, mas na verdade cada ser humano já é inteiro em si mesmo. A conexão amorosa com o outro é consequência da felicidade e não a causa dela. Só quem ama sua condição humana pode de fato ser feliz consigo mesmo e simultaneamente partilhar esse sentimento com o outro.

É por essa ilusão que grande parte da humanidade projeta sua felicidade no outro: "a pessoa certa", "o filho tão desejado", "o amigo necessário". Precisar de alguém em qualquer nível cria relações de dependência, e isso não tem nada a ver com a felicidade experimentada pelo amor. Mas esta não é a única *fake news* que há sobre a felicidade.

Sou velho demais para novas coisas

O grande problema dessa *fake news* é que ela parte do princípio de que existe um tempo certo para sermos felizes, como se isso não dependesse de nossas escolhas e ações, e sim de algo mágico que irá nos atingir em uma determinada data em nossa vida. Para começar, o tempo mecânico ou o tempo do "relógio" é uma criação humana para organizar nossa vivência terrena. Não existe o tempo absoluto, mas uma dimensão formada pelo tempo/espaço sobre a qual construímos nossa vida física. Por isso, podemos ser melhores a qualquer momento da vida. Essa forma de ver o mundo é uma escolha pessoal e decisiva, e com a motivação adequada podemos colocá-la em prática neste exato momento. É preciso coragem para ser feliz, não nascemos prontos, mas somos livres para escolher o caminho. Com o conhecimento e a sabedoria necessária, somos capazes de mudar ou adaptar a rota dessa caminhada rumo ao autoaperfeiçoamento.

Felicidade total é uma utopia

Muitas pessoas preferem acreditar nisso. Elas chegam a dizer que a vida é pura distopia e sofrimento. Essas pessoas confundem felicidade com prazer, alegria ou satisfação. Elas acreditam que é um estado ininterrupto de sensações e sentimentos maravilhosos, tal qual uma grande festa. Se a expectativa delas é essa, a vida para elas realmente está mais para um velório do que para uma festa. Estamos aqui para nos transformar em pessoas melhores e é por isso que somos submetidos a provas e desafios constantes. Ninguém cresce em valores e virtudes sem ser posto à prova. Nos momentos difíceis, nós nos descobrimos resilientes, criativos, maiores e melhores do que imaginávamos. Felicidade é um processo de construção humana e toda construção bem-feita requer tempo, coragem e dedicação. A vida não é uma utopia ou uma distopia, ela simplesmente é uma lapidação gradativa rumo ao melhor de nós mesmos.

Sem sucesso não poderei ser feliz

Essa *fake news* está relacionada ao conceito de sucesso imposto por nossa sociedade. Toda vez que nos deparamos com anúncios ou referências de pessoas bem-sucedidas, encontramos uma série de objetos ou situações que requerem um certo nível de poder aquisitivo. Nas propagandas, indivíduos de sucesso possuem veículos caros, casas luxuosas e objetos de uso pessoal comprados em grifes de luxo, como se sucesso fosse somente ter e ostentar. Há até quem diga: "Se não for para ostentar, melhor nem ter".

O mais interessante sobre esse equivocado parâmetro de sucesso é que ele não guarda qualquer vínculo com o autoaperfeiçoamento – pessoal ou coletivo. Tudo se resume a ter coisas que simbolizem o que é o tal sucesso. No meu entender, sucesso é bem mais do que símbolos culturalmente produzidos. Sucesso e felicidade deveriam ser sinônimos existenciais em todos os setores da nossa vida. Ser um profissional de sucesso deveria ser sinônimo de trabalhar em algo que dá sentido à vida e não somente de acúmulo de bens. Ser um cidadão de sucesso deveria ser sinônimo de praticar ações de gentileza e generosidade todos os dias e fazer a diferença na vida das pessoas. Ser alguém de sucesso é, antes de tudo, ser um excelente ser humano e iluminar nossa ignorância. E, se a morte for o fim, os frutos de suas boas ações cuidarão de sua eternidade.

Já tentei várias vezes ser feliz. Agora, desisti

Sempre me questionei o porquê de uma simples pedrinha branca, denominada pérola, ser algo tão caro e precioso. Até que, um dia, minha madrinha me explicou que a pérola era produzida no interior de uma ostra após uma grande reação de defesa desse molusco. Quando um grão de areia ou qualquer outra coisa estranha penetra a ostra, ela produz uma substância que envolve o objeto desconhecido e que, camada após camada ao longo de muitos anos, forma a pérola. A pedrinha (branca ou mesmo preta) reluzente é, na verdade, o resultado de uma longa luta da ostra para manter a sua pureza, ou melhor, a sua essência.

A história de formação de uma pérola guarda semelhança com a vida humana, afinal não estamos aqui para o acúmulo ou a fruição inconsequente dos prazeres. A vida é uma experiência constante de autoaperfeiçoamento, e ninguém se transforma em algo melhor sem enfrentar adversidades.

O imediatismo e a aversão pelo fracasso do mundo atual fazem com que as pessoas desistam do maior propósito de suas existências, que é o aperfeiçoamento de suas consciências. Estamos aqui para nos lapidarmos em um processo constante de erros, acertos e aprendizagens. Desistir de ser feliz é desistir de ser um ser humano em essência, e isso não é sequer possível. Ter coragem para assumir equívocos e refazer a rota rumo à construção de uma identidade mais pura é um exercício de virtudes humanas. Fazer como as sábias ostras que decidiram transformar os imprevistos em matéria-prima para construir a mais bela versão de delas mesmas é o que nos torna o que realmente somos.

Vou esperar as circunstâncias mudarem para tentar ser feliz

Um comportamento de manada é aquele em que o sujeito segue o movimento da maioria de seu grupo. O problema do movimento de manada é que ele nunca o levará ao centro de si mesmo, à realização de si como pessoa única.

Como exemplo, proponho o seguinte: observe o ciclo das águas. A mesma água que se apresenta como oceano é também a que forma os rios, as lagoas, riachos, chuvas, geleiras ou vapores. A essência da água é sempre a mesma, mas a sua forma de se apresentar pode variar por diversos fatores externos, como temperatura e relevos geográficos. De forma harmoniosa e constante, ela está sempre se transformando, mas nunca deixa de ser em essência um grande aglomerado de moléculas de hidrogênio e oxigênio. Estabelecendo uma analogia com a nossa própria existência, percebemos que todo ser humano guarda em si a essência da sua existência material. Somos animais dotados de inteligência racional e percepções emocionais que nos permitem analisar e refletir sobre nós mesmos e sobre tudo o que existe ao nosso redor. Esse privilégio nos capacita a distinguir, em meio ao grupo, o que é bom ou ruim, justo ou injusto, luminoso ou sombrio. Podemos escolher diversas formas de exercer nossa condição humana; no entanto, mais cedo ou mais tarde, todas elas terão que entrar em alinhamento com a essência humana de adquirir conhecimento para a prática virtuosa de valores.

Dentro desse cenário, a caminhada única de cada ser humano é o propósito da própria vida, independentemente de aparência física, condição financeira, crença religiosa ou ofício profissional. As circunstâncias externas nunca devem ser vistas como fatores limitantes. Pelo contrário, elas devem servir sempre para uma corajosa autoavaliação com a qual poderemos identificar premissas falsas que criamos sobre nós mesmos e a influência nociva que o ambiente possa exercer.

Se escolher o que amo fazer, morrerei de fome

Essa crença está relacionada a outras ideias enganosas sobre o que é felicidade. Sob essa ótica, ela advém apenas de bens materiais e segurança financeira, e o amor pelo ofício é algo incompatível com o bem-estar duradouro. Se essas premissas fossem verdadeiras, as pessoas de alto poder aquisitivo seriam sempre felizes, o que já vimos não ser uma verdade. Como podemos observar, o excesso de conforto e segurança produz uma espécie de acomodação vital que pode se transformar em um tipo de atrofia de nossa consciência ou ainda um estado de tédio permanente. Na primeira situação, as pessoas poderão desenvolver quadros disfuncionais de apatia ou depressão, e na segunda hipótese, uma parcela significativa delas encontrará nos vícios ou compulsões uma saída para preencher seus vazios existenciais.

Quanto ao amor pelo ofício, ele não é necessariamente uma escolha para o sucesso material e sim para seu sucesso como ser humano. Se entendermos que ser feliz passa por conduzirmos nossa vida na direção do aperfeiçoamento ético e moral, perceberemos que podemos agir com esse propósito em qualquer situação da vida, independentemente de estarmos exercendo uma determinada profissão. No mundo em que vivemos, é sabido que muitos ofícios não remuneram o suficiente para que alguém viva uma vida plena. O que alerto aqui é que se busque a felicidade no desempenho de atividades que tangenciem o talento e a aptidão pessoais. No mercado de trabalho contemporâneo, cada vez mais o profissional tem que se mostrar polivalente, e notamos profissões tradicionais quase desaparecerem como as conhecíamos. Se você desempenha algo que minimamente te agrade, levando sua dedicação, gentileza e bom-humor a tiracolo, o caminho de alguma felicidade se abre.

Podemos ser felizes, desde que estejamos dando o nosso melhor. Amar a vida como uma oportunidade de desenvolvimento constante no que se faz é a base sólida para vivenciarmos a verdadeira felicidade. Se você escolher colocar amor em suas ações, de forma quase que natural a vida, mais cedo ou mais tarde, será pautada em seus talentos essenciais. Ao adquirir conhecimento e sabedoria, você será capaz de fazer escolhas mais puras e conectadas com a sua essência, e a sensação de contentamento e de paz interior serão os seus melhores indicadores de felicidade.

Se eu fosse igual ao outro eu poderia ser feliz

Essa talvez seja a falácia mais poderosa na construção de pessoas infelizes. Cada um de nós possui uma identidade genética e cultural própria. Ninguém no universo é igual a você ou a mim. Isso é de uma beleza ímpar. Só para se ter uma pequena ideia da grandeza desse fato, vou dividir com você dados simples sobre a nossa constituição genética: cada ser humano possui 46 cromossomos, organizados em 23 pares. Eles são formados por DNA, e dentro do DNA encontramos os genes que carregam todas as informações necessárias sobre as características de um indivíduo. Um único cromossomo possui em bites computacionais uma informação equivalente a 500 mil livros de aproximadamente quinhentas folhas. Agora, pare e pense por alguns minutos: a quantidade de dados que foram necessários para a sua existência é algo inimaginável. Isso nos faz deduzir de forma clara que a nossa existência não pode ser um mero acaso ocorrido pelo encontro aleatório de átomos e moléculas vagantes pelo universo. Por algum motivo que desconhecemos, cada ser foi criado com um nível imenso de inteligência. Somente nós, seres humanos, temos a capacidade de observar e compreender pelo menos uma pequena parte de tudo isso. E mesmo assim, sabendo tão pouco, somos capazes de nos deslumbrarmos com a beleza e o equilíbrio do que nos é visível. Acreditar na grandeza da vida é assumir uma relação de amor consigo mesmo e com tudo ao nosso redor, é entender que você é exatamente quem precisa ser, não para se acomodar ou se limitar, mas para saber de onde deve iniciar o autoaperfeiçoamento durante sua existência terrena. Todas as situações devem ser analisadas sob seu prisma. Elas são oportunidades para o crescimento diário. E esse processo não pode ser terceirizado, ninguém pode ser feliz tentando ser outra pessoa, assim como nenhuma outra pessoa poderá ser feliz por você. Tudo o que você precisa para a construção de uma identidade melhor está codificado dentro de si, esperando o despertar da sua consciência.

A nossa aptidão para felicidade nos levou a ter certeza de que somos bem mais do que um corpo inerte e subjugado às leis da natureza.

5
FELICIDADE
Fatores biológicos, genéticos e ambientais

Os estudos sobre a felicidade só puderam ganhar um enfoque científico na segunda metade do século XX e hoje, nas primeiras décadas do século XXI, a produção científica sobre esse tema não para de crescer. Entender o porquê disso é fundamental para direcionarmos de forma correta nossos esforços pessoais e coletivos na busca de uma felicidade verdadeira e duradoura.

A história da felicidade só pode começar a ser desvendada com os avanços tecnológicos que permitiram uma maior compreensão do funcionamento do cérebro humano e a influência desse órgão sobre os nossos estados de espírito. Apresentarei, a partir de agora, uma série de informações e conhecimentos que apontam para os vários fatores envolvidos na vivência humana denominada felicidade. De forma didática, eu os separei em três grandes grupos causais: o biológico, o genético e o psicológico e/ou ambiental. Gostaria de deixar bem claro que a capacidade de experimentar a felicidade sempre será resultante de um jogo complexo e individual gerado a partir da interação de todos esses fatores. De forma resumida, as causas **biológicas** incluem as mudanças da bioquímica cerebral, bem como as variações hormonais. As causas **genéticas** respondem por uma disposição herdada para a felicidade. Já as causas **psicológicas e ambientais** dizem respeito à influência de todas as situações vividas por uma pessoa ao longo de sua existência e aos acontecimentos moduladores que afetam seu estado de espírito de forma imediata ou prolongada.

Fatores biológicos da felicidade

1. O funcionamento básico do cérebro

Para realizar todas as suas funções, o cérebro conta apenas com células específicas chamadas **neurônios** e algumas substâncias denominadas **neurotransmissores**. Essas substâncias são responsáveis pela transmissão de mensagens entre neurônios das mais diversas áreas do sistema nervoso central. Pode até parecer uma operação simples: mensagens passadas de neurônio em neurônio resultam em ações, emoções, pensamentos e funções vitais. No entanto, tudo apresenta uma dimensão quase inimaginável, pois são bilhões de neurônios ligados uns aos outros por meio de estruturas chamadas axônios e dendritos. Estes, os dendritos, nunca chegam a tocar outro neurônio. Isso mesmo: os neurônios nunca se tocam fisicamente. Entre eles existe um espaço ínfimo chamado sinapse, no qual os dendritos liberam os neurotransmissores, que acionam quimicamente um estímulo elétrico conduzido dos dendritos até o espaço sináptico do próximo neurônio. Este libera mais neurotransmissores e assim sucessivamente, em um processo que interliga todo o cérebro a uma velocidade incrível e impossível de ser imaginada – algo em torno de 0,0002 segundo (1/5.000 de segundo) entre um neurônio e outro. Dessa forma, nosso cérebro é capaz de reagir a uma série de situações antes mesmo que possamos tomar consciência delas. Por essa razão, gritamos de dor e retiramos a mão de um objeto quente antes mesmo de termos percebido o que estava acontecendo.

Os neurotransmissores caem na fenda sináptica e se encaixam em estruturas denominadas receptores, que "abrem as portas" para que os neurotransmissores entrem no corpo do neurônio seguinte. Ao se acoplarem em seus receptores, os neurotransmissores fazem com que os neurônios pós-sinápticos leiam as mensagens trazidas e decidam se os impulsos elétricos devem seguir adiante ou não. Tão logo a informação é passada, os neurotransmissores se soltam do receptor, retornam ao espaço sináptico e podem ser decompostos por uma enzima chamada monoaminoxidase (MAO), ou podem ainda ser resgatados pelo neurônio anterior no processo conhecido como recaptação dos neurotransmissores, ou seja, a reabsorção deles.

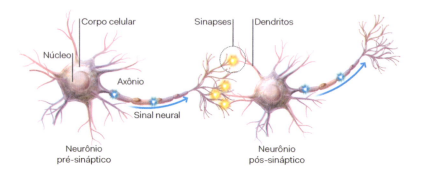

Imagem: representação dos neurotransmissores.

Estima-se que existam centenas de tipos de neurotransmissores no cérebro humano. No entanto, até hoje poucos foram isolados e identificados. Entre esses, podemos destacar alguns bastante conhecidos e já estudados, e a relação de cada um com o funcionamento cerebral na vivência da felicidade. São eles: a dopamina, a acetilcolina, a serotonina, a endorfina e o gaba.

Antes de iniciarmos a descrição dos neurotransmissores ligados à felicidade, precisamos entender como funciona o sistema operacional relacionado a eles. Quando nos sentimos bem, nosso cérebro está liberando dopamina, serotonina, oxitocina, endorfina, acetilcolina e gaba. É natural que queiramos mais dessas sensações, pois nosso cérebro foi projetado para buscá-los. Porém, nem sempre conseguimos, e isso também é natural. Nosso cérebro não libera doses da "química feliz" até que ele perceba uma oportunidade de atender a uma necessidade de sobrevivência como comida, segurança ou apoio social. Nessas ocasiões, somos tomados por um breve "surto da química feliz" antes que o cérebro volte a sua forma neutra de funcionamento, estado no qual se mantém atento e preparado para entrar em ação quando a próxima oportunidade de sobrevivência surgir. Dessa maneira, podemos entender o porquê do nosso estado de espírito apresentar uma alternância natural: trata-se do sistema operacional da natureza.

Você deve estar se perguntando por que então muitas pessoas desenvolvem hábitos ruins e desfavoráveis para o bem-estar. Como isso pode acontecer se nosso cérebro recompensa comportamentos favoráveis para a sobrevivência?

Acontece que quando uma descarga da "química feliz" termina, nós sentimos como se algo estivesse errado e logo buscamos um meio de nos sentirmos bem outra vez de forma confiável e rápida. Assim nascem os hábitos, e eles são capazes de "abrir atalhos" de bem-estar em nosso cérebro. Todos nós temos hábitos que conseguem acionar sensações boas como comer, comprar, assistir a seriados, dançar, cantar, correr, entre outros. Mas precisamos ter em mente que nenhum desses hábitos pode nos fazer feliz o tempo todo, simplesmente porque esse não é o funcionamento básico do cérebro. Todo e qualquer "surto de química feliz" é rapidamente metabolizado, e para que ocorra novamente é necessário que as ações relacionadas a ele se repitam. Dentro desse mecanismo, muitos de nós acabamos por exagerar nossos hábitos de bem-estar imediato a um determinado ponto que, entre os sentimentos de angústia e ansiedade, nos perdemos em vícios e quadros depressivos. Quando isso ocorre, os hábitos de felicidade instantânea terminam por nos conduzir à infelicidade.

O conhecimento do funcionamento da química feliz é essencial para que possamos aprender a ligá-la a coisas que são boas de verdade para cada um de nós.

2. Os neurotransmissores e a felicidade

A **dopamina** é secretada majoritariamente nos lobos frontais e está relacionada à energia física, à motivação, à capacidade de atenção e de tomada de decisões. Quando ela prevalece no metabolismo cerebral de alguém, essa pessoa se apresenta bem-disposta, extrovertida, com gosto pelo exercício do poder e com certa dificuldade em lidar com críticas. Vale salientar que o excesso de dopamina, além de não produzir níveis mais elevados de energia física e psíquica, costuma desencadear comportamentos impulsivos, violentos e até psicóticos.

No dia a dia, a produção espontânea de dopamina pode ser estimulada por meio de atividades físicas regulares, boa quantidade e qualidade de sono noturno e o hábito de reconhecer e agradecer as conquistas diárias. A dopamina é o nosso grande motivador, pois em níveis equilibrados faz com que possamos agir na direção mais adequada de uma felicidade estável.

A **acetilcolina** é preferencialmente produzida nos lobos parietais e tem importante papel nas práticas criativas, de sociabilidade, na memorização, na percepção intuitiva e no gosto pelas atividades lúdicas e pela aventura. Por outro lado, o excesso de acetilcolina pode ocasionar um comportamento exageradamente altruísta, enquanto a sua escassez leva à perda do senso de realidade acompanhada de importantes falhas de concentração e memorização.

Se envolver em novos aprendizados, em atividades criativas, ler sobre assuntos diversos e se exercitar em jogos que desafiam a memória são atividades que podem ajudar o seu cérebro de forma natural e simples a manter bons níveis desse neurotransmissor. A acetilcolina é a nossa grande organizadora de informações e conhecimento. É ela que nos conduz ao aprendizado duradouro.

A **serotonina** é produzida no tronco cerebral, na região denominada "núcleos da rafe", além de no intestino delgado. Ela está relacionada à alegria de viver, à visão otimista dos fatos, à regularização do sono, à atividade onírica (ou seja, aos sonhos), ao sentimento de contentamento e à serenidade frente aos desafios diários. Apesar de parecer uma substância mágica, a serotonina, como qualquer outro neurotransmissor, precisa ter seus níveis equilibrados, pois em excesso pode causar nervosismo exacerbado, insegurança, autopercepção negativa e hipersensibilidade a críticas. Em contrapartida, níveis reduzidos de serotonina costumam ocasionar isolamento social, sentimentos dolorosos de rejeição, níveis elevados de medo e ansiedade e pode levar a quadros depressivos de diversos graus.

É interessante observar que a serotonina nos move na direção de parcerias baseadas no respeito e na proteção. Já a oxitocina, sobre a qual falarei a seguir, nos conduz na busca de relações pautadas no companheirismo e no aconchego.

Dar significados especiais às vivências diárias, se conectar mais com a natureza em uma postura de admiração contemplativa e criar o hábito de agradecer pelas emoções positivas, enquanto elas acontecem, e pelas emoções negativas ao perceber os aprendizados que elas nos trouxeram, contribuem para uma produção natural de serotonina. Podemos dizer que a serotonina é a grande responsável pelo desenvolvimento da nossa sabedoria.

A **oxitocina** é estimulada pelo contato físico e pela confiança no outro. Segurar as mãos, acariciar a pele ou os cabelos, abraçar e sentir-se apoiado em suas decisões desencadeia a produção e liberação desse neurotransmissor. O orgasmo a dois, advindo de uma prática sexual de qualidade é capaz de elevar rapidamente as taxas cerebrais da oxitocina. É por essa razão, por exemplo, que pessoas apaixonadas tendem a exibir confiança pelos seus parceiros. E tal qual um orgasmo, o nascimento de uma criança promove uma verdadeira enxurrada de oxitocina tanto para a mãe quanto para o bebê. Isso justifica a ligação afetiva que se estabelece entre eles em poucos dias após o parto. Já o orgasmo solitário também pode produzir oxitocina, além de dopamina e endorfina, mas em quantidades bem menores.

Para estimular a produção de oxitocina em nosso dia a dia, devemos desenvolver o hábito de abraçar as pessoas, conviver mais com nossos afetos verdadeiros, praticar atos de generosidade e meditar com foco na amorosidade coletiva. A oxitocina é a grande responsável pela nossa conectividade amorosa com o outro e com tudo ao nosso redor.

A **endorfina** tem na dor física seu o maior estímulo para ser produzida e liberada. Dessa forma ela promove uma intensa analgesia que possibilita a uma pessoa ferida escapar de seu agressor ou ainda se locomover em busca de ajuda. Essa analgesia é frequentemente acompanhada por uma sensação de ligeira euforia e bem-estar. De maneira bem menos expressiva também é possível liberar endorfina quando estamos sorrindo ou chorando. Se repararmos em um casal apaixonado, veremos que as duas pessoas costumam rir muito quando estão juntos, e isso eleva os níveis de endorfina de ambos. De forma semelhante, amantes também costumam chorar um com o outro. Isso faz com que o cérebro muitas vezes possa associar choro com amor e confundir esse sentimento com a sensação de dor. Nos caminhos neurais da endorfina, dor e amor podem coexistir. Isso explica, em parte, a tolerância que algumas pessoas apresentam com relacionamentos tóxicos e emocionalmente dolorosos.

A endorfina pode ser estimulada no nosso dia a dia por meio de práticas de exercícios físicos aeróbicos, pela convivência alegre e bem-humorada com os amigos e também pelo canto e pela dança. A endorfina é a grande protetora contra as dores insuportáveis da vida.

O **gaba**, ou seja, ácido gama-aminobutírico, é responsável pela sensação de relaxamento e estabilidade de humor. Níveis equilibrados de gaba tornam as pessoas mais benevolentes e dedicadas aos seus afetos, além de fazê-las lidar com problemas

NEUROTRANSMISSORES

HÁBITOS PARA A PRODUÇÃO NATURAL	NEUROTRANSMISSOR	EFEITOS SOBRE O BEM-ESTAR
Atividades físicas, qualidade do sono e ser grato às nossas conquistas diárias	DOPAMINA	Melhora a disposição, a energia física, a motivação, a capacidade de atenção e de tomada de decisões.
Exercícios para a memória, novos aprendizados, atividades criativas e leituras diversas.	ACETILCOLINA	Criatividade, sociabilidade, memorização, percepção intuitiva, gosto pelas atividades lúdicas e pela aventura.
Dar significados especiais às vivências diárias, se conectar com a natureza e criar o hábito da gratidão.	SEROTONINA	Alegria, otimismo, regularização do sono, sentimento de contentamento e serenidade.
Contato físico, como segurar as mãos ou abraçar as pessoas, confiar no outro e praticar atos generosos.	OXITOCINA	Bons sentimentos como o amor, a conexão e a confiança.
Prática de exercícios físicos aeróbicos, canto e dança, além de convivência com os amigos.	ENDORFINA	Reduz a dor, a depressão e aumenta a sensação de felicidade.
Boa alimentação, sono de qualidade, atividade intestinal regular, exercícios de relaxamento e ioga.	GABA	Sensação de relaxamento e estabilidade do humor.

Esquema dos neurotransmissores: efeitos e hábitos produtores.
Elaborado por Ana Beatriz Barbosa Silva e Helena Mello.

de maneira mais tranquila e sensata. Em excesso pode levar a um altruísmo exacerbado com consequente descuido de si próprio. Por outro lado, sua escassez pode gerar instabilidade e uma propensão à perda de controle emocional. Poderíamos dizer que o gaba é o neurotransmissor da calma e do relaxamento.

Boa alimentação, sono de qualidade, atividade intestinal regular, exercícios de relaxamento e ioga são táticas eficazes para o aumento espontâneo dos níveis de gaba.

3. O papel dos hormônios na felicidade

Os hormônios são produzidos em estruturas denominadas glândulas. Eles chegam às diversas partes do corpo por meio da circulação sanguínea e são responsáveis pelo controle de inúmeras funções do organismo, como o desenvolvimento sexual, o controle dos níveis de glicose no sangue e a reação ao estresse. Podemos considerar que o cérebro e o sistema endócrino apresentam um ponto de conexão importante no hipotálamo, e este regula uma série de atividades corporais importantes, como o sono, o apetite e o desejo sexual, e controla a principal glândula do corpo humano: a hipófise, ou glândula pituitária. Além disso, o hipotálamo, para administrar a produção hormonal de todo o organismo, utiliza em parte a noradrenalina, a serotonina e a dopamina.

A relação entre cérebro e hormônios é tão estreita que alguns neurotransmissores exercem essa dupla função simultaneamente, como a oxitocina (produzida no hipotálamo e armazenada na hipófise) e a endorfina (produzida na hipófise), já citadas anteriormente.

Entre os hormônios mais importantes na bioquímica da felicidade e do sofrimento, destaco o **cortisol**.

Nas pessoas saudáveis e com sentimento de bem-estar duradouro, os níveis de cortisol costumam ser reduzidos. Ele é liberado de forma autorregulada e ajuda o organismo a enfrentar situações de estresse físico ou emocional. Em condições ideais, o hipotálamo controla os níveis de cortisol no sangue de forma que estejam sempre equilibrados.

A influência dos níveis de cortisol na sensação de alegria ou felicidade pode ser observada, de forma comparativamente inversa, no que ocorre com as pessoas deprimidas, uma vez que na depressão é dificultoso experimentar sentimentos positivos. Nesse quadro clínico, na maioria das vezes, as pessoas apresentam níveis mais elevados de cortisol e reduzidos de serotonina e dopamina.

4. As ondas cerebrais

Toda atividade cerebral, na forma de pensamentos, emoções, sensações e percepções apresenta um componente elétrico e um químico. É por meio de descargas elétricas que os neurotransmissores são liberados, e uma rede de neurônios se conecta abrindo "caminhos" cerebrais que, se forem feitos muitas vezes, tornam-se comportamentos que tendem a se repetir com muita facilidade. Esses comportamentos podem ser denominados hábitos e, por vezes, produzem bons ou maus resultados. Os vícios são padrões dos maus resultados, por exemplo.

Em um processo consciente de mudanças comportamentais temos que "abrir novas estradas" ou novos circuitos neuronais, fazendo com que as redes de neurônios negativas trabalhem juntas com as novas e positivas redes de conexões interneuronais. Para que isso ocorra, é necessário que novos circuitos elétricos sejam formados conectando outros neurônios ou que eles passem a operar em diferentes níveis de atividade elétrica. Ou, no melhor dos mundos, que ambas as situações ocorram simultaneamente.

As ondas cerebrais são pulsos de atividade elétrica entre os neurônios que ocorrem em intervalos regulares. Essas ondas podem constituir níveis específicos e diferenciados de atividade cerebral. Entre elas, podemos citar as ondas Beta, Alfa, Theta, Delta e Gama.

- As ondas Beta (frequência entre 14Hz e 40Hz)

Podemos dizer que a atividade cerebral em que há o predomínio das ondas Beta corresponde ao nosso estado de consciência ativa. Elas estão presentes em maiores quantidades quando estamos envolvidos em tarefas cotidianas relacionadas ao nosso trabalho, nossos afazeres pessoais, familiares e sociais, bem como nos momentos de lazer. Toda vez que precisamos pensar, utilizando a lógica para dar soluções aos desafios e problemas, as ondas Beta estão presentes para fazer frente às demandas do dia a dia. Elas tendem a se concentrar nas áreas anteriores do cérebro, especialmente nos lobos frontais, região que tem a capacidade de por meio da razão e da lógica reduzir o impacto das emoções produzidas no sistema límbico. Quando as ondas Beta estão em ação, o neurotransmissor dopamina é liberado em maior quantidade, garantindo a motivação e a concentração necessárias para a realização das diversas tarefas que envolvem as nossas vivências de responsabilidades e também de diversão.

Por guardarem estreita relação com o fazer das coisas, o nível de atividade mental produzido pelas ondas Beta pode aumentar a tensão muscular, elevar a pressão arterial, os batimentos cardíacos e a frequência respiratória, gerando estados de ansiedade que podem evoluir para adoecimentos físicos e psíquicos com o passar do tempo.

- As ondas Alfa (frequência entre 7,5Hz e 14Hz)

Enquanto as ondas Beta estão relacionadas ao agir de forma ativa e concentrada, as ondas Alfa predominam quando entramos em estado de relaxamento, de introspecção ou aqueles produzidos quando "sonhamos acordados", tanto de olhos abertos quanto fechados. As ondas Alfa colocam o cérebro em um nível de atividade mental suave e repousante, especialmente se elas estão presentes de maneira predominante. O hábito de realizar exercícios de relaxamento antes ou após a rotina estressante de trabalho pode contribuir para amenizar os efeitos prejudiciais do excesso de ondas Beta para a saúde mental. Um outro dado importante sobre as ondas Alfa é a sua influência positiva no aumento dos níveis de melatonina.

A melatonina é um hormônio produzido pela glândula pineal, também conhecida como epífise ou *conarium*, e tem como principal função a regularização do sono, promovendo seu início e sua posterior manutenção. Ela também apresenta importante função antioxidante, ação anti-inflamatória e ajuda a melhorar o sistema imunológico.

O funcionamento cerebral no nível de atividade Alfa está associado aos neurotransmissores serotonina, gaba e acetilcolina, o que justifica sua capacidade de reduzir os níveis de estresse e ansiedade, melhorando assim o humor e favorecendo experiências de alegria momentânea e felicidade duradoura.

- As ondas Theta (frequência entre 4Hz e 7,5Hz)

Elas estão presentes de forma significativa nos estados de relaxamento e meditação profundos. Essa frequência de atividade mental ocorre no limiar entre o sono e a vigília, ou seja, quando estamos adormecendo à noite ou acordando pela manhã.

Nessa frequência temos acesso mais fácil às informações armazenadas em nosso subconsciente, especialmente aquelas relacionadas às emoções mais marcantes. As ondas Theta predominam durante nossos sonhos, especialmente no estado de sono conhecido como fase REM (do inglês, *Rapid Eye Movement*) ou MRO (Movimento Rápido dos Olhos). É nessa faixa de funcionamento mental que podemos experimentar um sentimento de conexão espiritual e unidade com o Universo, o que facilita muito o exercício do nosso movimento de fé e transcendência, elementos essenciais para a vivência da felicidade duradoura como veremos mais à frente no capítulo sobre espiritualidade e felicidade.

Na frequência Theta, temos consciência, ainda que parcial, do nosso entorno, porém o corpo atinge níveis profundos de relaxamento.

Muitos estudiosos atribuem a essa frequência mental a experiência de visualizações vívidas, inspiração e intuição criativa. Talvez isso se deva à redução expressiva da quantidade de pensamentos durante a atividade Theta, assim vivenciamos uma espécie de paz de espírito e de contato íntimo com o nosso verdadeiro eu ou nossa essência vital.

Os neurotransmissores associados às ondas Theta são a serotonina e o gaba, ambos bastante influentes nas vivências de bem-estar prolongado.

- As ondas Delta (frequência entre 0,5Hz e 4,0Hz)

Elas são as mais lentas das frequências mentais. Está associada ao sono profundo sem qualquer atividade onírica, ou seja, sem sonhos. Na faixa de ondas Delta, estamos inconscientes e experimentamos o sono profundo e restaurador. São as ondas menos estudadas.

Segundo Teresa Aubele, Stan Wenck e Susan Reynolds em *Treine seu cérebro para ser feliz*, as ondas Delta seriam responsáveis pelas sensações inconscientes e também pela empatia espontânea, que nos são aparentemente injustificáveis. Em excesso, podem provocar uma quase ausência de autocuidado e proteção, como podemos notar em quadros depressivos. Estão associadas a níveis de serotonina bem mais elevados dos que os observados durante a ocorrência das ondas Alfa e Theta.

- As ondas Gama (frequência acima de 40Hz)

Elas foram descobertas mais recentemente e são as mais rápidas ondas cerebrais. As áreas do cérebro em funcionamento Gama disparam redes neuronais diversas tão velozmente que uma associação se estabelece entre elas, em uma espécie de sincronicidade funcional. Vamos imaginar que cada circuito de neurônios é um instrumento musical apto a tocar uma música, mas cada circuito toca seu solo musical independentemente do do outro, produzindo um som único e independente. De repente todos esses instrumentos entram em sintonia e começam a tocar de forma precisa e harmônica a mesma música, como se estivessem ensaiado juntos repetidas vezes. Então, pode-se dizer que é nessa hora que eles estão funcionando em pulsos Gama. Em uma fração de tempo inimaginável, circuitos, antes autônomos, se conectam para dar vida a algo muito maior e inédito.

Essas ondas estariam relacionadas a grandes *insights* individuais no campo do autoconhecimento e do conhecimento coletivo. No meu entendimento, gosto de comparar o estado de atividade mental Gama à ocorrência de uma espécie de "salto quântico", quando todo nosso conhecimento sofre uma mudança súbita de percepção, e passamos a ver e entender tudo em outro patamar. Quando tudo se veste de um sentido simples e transformador que nos alegra a alma e se traduz em um único pensamento do tipo "é isso"!

Podemos também dizer que o predomínio de ondas Gama, especialmente na região executiva do cérebro, o córtex pré-frontal, propiciou verdadeiras transformações em nossa maneira de ver e agir no mundo, e isso pode ter um impacto bem profundo na vivência da felicidade.

Em minha prática clínica diária, tenho visto que a técnica de *neurofeedback* e da meditação de atenção plena favorecem o aparecimento de pulsos Gama na região anterior do cérebro das pessoas e, como consequência, elas se mostram mais conectadas consigo próprias e com tudo ao redor, mas não de forma estressante ou desgastante, e sim com uma percepção diferenciada que produz bem-estar e motivação para ressignificar suas vidas por meio de novos paradigmas.

Fatores genéticos da felicidade

Durante muito tempo, os cientistas acreditavam que cada um de nós possuía uma capacidade basal de felicidade geneticamente determinada e por isso mesmo imutável ao longo da vida. Segundo essa visão, nós poderíamos vivenciar diversas situações positivas, como o reconhecimento profissional, um novo relacionamento afetivo ou o nascimento de um filho muito desejado, porém essas experiências promoveriam apenas um estado fugaz de bem-estar que se dissiparia em pouco tempo, e logo retornaríamos ao nosso ponto base de experimentarmos boas sensações no dia a dia.

De forma mais didática, a visão sobre a capacidade individual de uma pessoa experimentar a felicidade de forma duradoura era

ONDAS GAMA 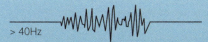 > 40Hz

São as ondas cerebrais mais rápidas. Relacionada a *insights* cerebrais (individuais ou coletivos). Processo simultâneo de informações a partir de diferentes áreas do cérebro. Alta percepção.

ONDAS BETA 14 - 40Hz

Estado de consciência ativa. Pensamento lógico. Responsável pela concentração, excitação ou cognição. Estado de alerta, estresse e tomada de decisão.
Neurotransmissor: dopamina.

ONDAS ALFA 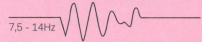 7,5 - 14Hz

Estado de relaxamento, pré-sono, reflexivo. Parte física e mental relaxadas. Calma, o sonho acordado, ondas relativas à criatividade.
Hormônio: melatonina.
Neurotransmissor: serotonina, gaba e acetilcolina.

ONDAS THETA  4 - 7,5Hz

Estado de relaxamento e meditação profunda. Fase do sono REM. Mantém a consciência parcial do entorno, mas aparenta um sentimento de conexão espiritual. Sensação de bem-estar prolongado.
Neurotransmissor: serotonina e gaba.

ONDAS DELTA  0,5 - 4Hz

Estado de sono profundo, sem sonhos e inconsciente. Perda da consciência corporal. Provoca a empatia espontânea. São as ondas cerebrais mais lentas.
Neurotransmissor: serotonina em alto nível.

Esquema: Ondas Cerebrais. Elaborado por Ana Beatriz Barbosa Silva e Helena Mello.

determinada por seus genes em um percentual em torno de 60%. Já os fatores externos como nível econômico, valores culturais, formação educacional ou o estado civil responderiam por aproximadamente 10%, enquanto os fatores psicológicos que englobam nossas vivências diárias e escolhas perante os acontecimentos (previsíveis ou inesperados) responderiam por cerca de 30%. Um dos grandes defensores do predomínio genético na determinação dos níveis básicos de felicidade foi o geneticista David Lykken, da Universidade de Minnesota, nos Estados Unidos. No início de suas pesquisas sobre o assunto, ele chegou a dizer a seguinte frase: "Pode ser que tentar ser mais feliz seja algo tão fútil como tentar ser mais alto".

Em estudos mais recentes, Richard Davidson, psicólogo da Universidade de Wisconsin-Madison, também nos Estados Unidos, constatou que os fatores ligados ao nosso DNA respondem por algo perto de 30% quando se trata da nossa capacidade de experimentar bem-estar de forma duradoura. Para Davidson, o fator determinante dessa nova perspectiva está na constatação de que o cérebro apresenta uma grande capacidade de mudar o seu funcionamento. Essa característica neuronal é denominada neuroplasticidade e tem se revelado uma das maiores descobertas sobre o cérebro dos últimos tempos. A neuroplasticidade é uma estrada de mão dupla, em que nossa constituição biológica é capaz de influenciar o nosso comportamento, bem como este também é capaz de alterar a nossa estrutura cerebral, mudando sua bioquímica e sua atividade elétrica.

Dessa maneira, por meio do conhecimento é possível desenvolvermos novas maneiras de pensar e de agir que possam aumentar nossas experiências de felicidade sustentada. Destaco que para que esses objetivos sejam alcançados, temos que nos imbuir também de determinação, esforço concentrado e paciência para que as novas trilhas cerebrais possam ser eficientemente pavimentadas. Trata-se de um compromisso pessoal e intransferível em dar vida e sustentação a si mesmo.

A felicidade e os fatores psicológicos e sociais

Falar sobre a influência psicológica e ambiental de uma pessoa sobre qualquer aspecto da vida equivale a entender sua personalidade e a maneira como ela percebe o mundo e se porta frente a ele. Então, antes de qualquer coisa, precisamos ter em mente o que é personalidade. De forma bem abrangente, podemos dizer que personalidade é um conjunto de padrões de pensamentos, sentimentos e comportamentos que uma pessoa apresenta ao longo de sua existência. Ela é o resultado da interação dinâmica daquilo que herdamos geneticamente de nossos pais (temperamento) com as experiências que adquirimos durante toda a vida (caráter). A carga genética é fundamental para a construção da personalidade, mas as nossas vivências interpessoais e o ambiente no qual estamos inseridos também interferem na construção da pessoa que nos tornamos dia após dia. Somos a nossa personalidade, e é assim que nos apresentamos ao mundo. Ela é o nosso cartão de visitas, a maneira pela qual cada um de nós consegue sentir o mundo ao redor e a si mesmo.

Pela simples definição de personalidade é possível entender que separar fatores influenciadores da nossa forma de interpretar e se comportar no mundo é algo que tem um caráter muito mais didático do que real, e mesmo assim considero essa didática válida para que possamos organizar e integrar melhor as informações que nos mostram o quanto somos seres complexos e em constante evolução.

No que tange à felicidade, podemos afirmar que perfis de personalidade que apresentam mais disposição psíquica e que são mais inclinados ao otimismo desfrutam de maior facilidade para se sentirem felizes e satisfeitos com a vida de forma mais perene. Exames capazes de aferir a atividade cerebral evidenciam que posturas otimistas apresentam maior atividade na região do córtex pré-frontal esquerdo. Já os perfis pessimistas apresentam maior atividade no córtex pré-frontal direito. Esses dados são de suma importância para o tratamento de pessoas pessimistas que desenvolvem depressão ou quadros de ansiedade exacerbada.

É possível observar diferenças comportamentais bem-definidas entre pessoas otimistas e pessimistas.

1. Pessoas com perfil de personalidade otimista

- Definem suas vidas pelos eventos positivos e consideram os eventos negativos como uma exceção, ou um fato natural.
- Apreciam quem são e a vida que levam.
- Estabelecem mais relações interpessoais e de boa qualidade.
- Cultivam hábitos saudáveis, tanto físicos como psíquicos.
- Tem menor propensão a doenças de um modo geral, ou seja, são mais saudáveis.
- Possuem maior capacidade de recuperação em caso de adoecimento.
- Têm maior sobrevida, isto é, maior longevidade.
- São mais perseverantes.
- Não vivem se comparando a outras pessoas.
- De forma geral, são mais bem-sucedidas no alcance de seus objetivos.
- Cultivam a fé em algo superior e imaterial.

2. Pessoas com perfil de personalidade pessimista

- Interpretam eventos negativos como permanentes e os positivos como passageiros e raros de acontecer.
- Percebem-se como incapazes de realizar esforços para mudar.
- Vivem se comparando a outras pessoas.
- Não gostam de si mesmos.
- Apresentam maior probabilidade de ficar deprimidas.
- Vivem insatisfeitas com suas vidas.
- Tendem a ver defeitos em tudo e em todos.
- Possuem menos relacionamentos interpessoais e esses tendem a ser mais conflitantes.
- Têm menor desempenho na vida profissional.
- Vivem menos.
- Têm reduzida capacidade para o exercício da fé.

Não há dúvida de que as personalidades mais otimistas apresentam maiores chances de serem felizes de forma mais sustentada, no entanto, é possível, para a maioria de nós, promover mudanças diárias na direção dos bons pensamentos e de uma postura mais otimista frente à vida.

É claro que para algumas pessoas esse processo vai requerer uma atenção especial antes que consigam entrar na "caminhada do bem-estar". Eu me refiro aqui àquelas que já apresentam um adoecimento mental prévio como a depressão ou transtornos de ansiedade como pânico, compulsão ou fobias. Nesses casos, a primeira coisa a ser feita é o tratamento do transtorno para que as condições básicas do funcionamento mental sejam restabelecidas. Feito isso, aí sim é possível melhorar o desempenho cerebral no sentido de reduzir a quantidade e a intensidade dos registros neuronais negativos, abrindo espaço para novos circuitos relacionados à percepção mais otimista e proativa da vida.

Mesmo em casos em que a pré-disposição genética se mostra marcante, o comprometimento com essas mudanças pode, na pior das hipóteses, reduzir a intensidade, a duração e a recorrência dos episódios depressivos. Pode acreditar, isso já é um grande avanço na vida dessas pessoas.

Existem também situações extremas de insegurança e de condições mínimas de subsistência, como as experimentadas por pessoas que vivem em território de guerra ou em rotas de refugiados, ou ainda que são vítimas de grandes tragédias, o que pode reduzir a capacidade de modificar conexões neuronais de forma momentânea. No entanto, muitas histórias humanas demonstram que nossa espécie parece ter de fato uma aptidão para a felicidade, como visto nos sobreviventes de campos de concentração ou mesmo no exemplo da jovem Malala em sua luta quase fatal pelo direito de estudar. Mesmo envoltos em cenários dramáticos de ameaças e privações, muitos conseguem sobreviver e superar esses acontecimentos. Esse processo de crescimento em meio a adversidade é denominado "resiliência", e por meio dele pessoas incríveis podem surgir. Os resilientes são a prova do poder incalculável que o cérebro humano possui de se reinventar. A neuroplasticidade deles é testada nos limites máximos, e em razão disso os resilientes aprendem não somente a sobreviver, mas também a ressignificar suas vidas. Transformam as percepções de si mesmos, das reais necessidades, da dor, do amor, do tempo e, por fim, da verdadeira felicidade.

A nossa aptidão para felicidade nos levou a ter certeza de que somos bem mais do que um corpo inerte e subjugado às leis da natureza. Ela de fato é influenciada por nossa herança genética e pela química de todo o organismo, mas não nos reduzimos a isso. Ser feliz e minimamente equilibrado é uma tarefa árdua que exige de cada um de nós conhecimento e disposição para assumir uma postura transcendente diante das características da nossa personalidade, das provações e das frustrações inevitáveis da vida. Equivale a nos transformarmos em verdadeiros "pais amorosos" de nós mesmos e, dessa forma, aprender a cuidar do nosso ser por inteiro. Somente assim é possível produzir e assegurar a manutenção de um bem-estar existencial.

O sofrimento é um professor bem mais eficiente do que o prazer. Memórias negativas são como tatuagens no cérebro.

6
O CÉREBRO HUMANO, SUAS DISTORÇÕES EVOLUTIVAS E A FELICIDADE

Imagine que fosse possível viajar no tempo. Nossos ancestrais talvez entrassem em estado de choque ao verem alguns dos avanços tecnológicos atuais. O *Homo habilis*, com suas ferramentas de pedra, certamente não entenderia o movimento frenético de tratores e colhedeiras mecânicas nos campos em meio a produção de toneladas de arroz, soja, feijão, batata, entre tantos outros produtos agrícolas. Provavelmente a primeira coisa que faria seria buscar um abrigo seguro para fugir dos estranhos "animais voadores" que despejam nuvens sobre as plantações. Até mesmo o ancestral da nossa própria espécie, o *Homo sapiens*, ficaria apavorado ao sair às ruas e se deparar com automóveis, trens, metrôs, celulares e computadores. Eles jamais poderiam imaginar que seus esforços para se manterem vivos e propagarem seus genes produziriam tantos frutos na escalada evolutiva da humanidade.

No cenário no qual nossos ancestrais viviam, as ameaças à sobrevivência eram bem diferentes das nossas. A probabilidade de serem atacados e literalmente devorados por predadores ou até mesmo mortos por grupos inimigos era bastante alta. Além disso, eles também tinham que enfrentar parasitas, doenças, ferimentos, frio, sede, fome, falta de um abrigo seguro, entre outros incontáveis desafios vitais.

Foi dentro desse universo hostil e ameaçador que o cérebro humano cresceu e se adaptou de forma muito eficiente. O grande problema é que hoje vivemos em um mundo completamente diverso e com exigências comportamentais totalmente distintas. No entanto, nosso cérebro continua produzindo as mesmas soluções antigas e ultrapassadas para fazer frente aos desafios do mundo moderno.

Para transmitir seus genes, nossos ancestrais tinham que conseguir comida, abrigo e sexo, além de manter distantes os predadores, a fome e a possível ameaça vinda de outros indivíduos da sua mesma espécie. Durante milhares de anos, o ser humano viveu exclusivamente para cumprir esse rigoroso ritual de sobrevivência, e por essa razão nosso cérebro desenvolveu uma visão negativa da existência. Como uma máquina de segurança muito bem-programada, nosso cérebro está sempre pronto para detectar perigos em potencial.

Para que a árdua missão de sobrevivência e perpetuação da espécie humana fosse um sucesso, algumas características do funcionamento cerebral tiveram que ser exaustivamente treinadas. Entre elas, podemos destacar as seguintes:

Os filtros de observação da realidade

Para dar conta da missão de detectar perigos, o cérebro prioriza dados que ele julga serem essenciais para uma tomada de decisão mais segura. Um exemplo simples disso pode ser percebido quando nos preparamos para atravessar uma rua. A nossa atenção é focada no semáforo e nos carros que se aproximam, quando na realidade há uma centena de outras informações que poderiam ser processadas por nosso cérebro, como os rostos das pessoas que estão do outro lado da rua, as suas roupas e sapatos, o cheiro de comida de um restaurante próximo ou o azul límpido do céu em um dia ensolarado. No entanto nosso cérebro seleciona poucos, mas fundamentais dados, para que o ato de atravessar a rua seja cumprido com a máxima segurança.

Essa filtragem faz com que a realidade detectável pelo cérebro seja sempre incompleta e com o percentual de fatos negativos infinitamente maior que os positivos.

Capacidade de exagerar os fatos

Para o cérebro vale aquela máxima "todo cuidado é pouco". Se a veracidade dos fatos não for suficiente para nos convencer a agir no sentido de evitar um suposto risco, ele irá exagerar alguns detalhes para chamar a nossa atenção. Quando um acontecimento negativo é exagerado, ficamos excessivamente preocupados com a possibilidade de que ele possa ocorrer conosco, mesmo sabendo racionalmente que tem pouca chance de acontecer. Todos nós já percebemos esse aspecto do funcionamento cerebral ao nos defrontarmos, por exemplo, com a cobertura de desastres pela grande mídia.

Qualquer exagero é uma visão enganosa da realidade. Se ele ocorrer para fatos de cunho positivo, irá produzir expectativas infladas que acabarão por destruir nossos níveis de satisfação em relação aos acontecimentos. Caso o exagero seja direcionado a fatores negativos, o que ocorre de maneira mais frequente, o resultado será sempre grandes doses de sofrimento.

Memórias e rótulos

Experiências negativas são facilmente memorizadas. Elas são processadas de forma imediata nas estruturas cerebrais responsáveis pela memória, e é por essa razão que nunca esquecemos a dor do primeiro tombo de bicicleta, da primeira queimadura ou do primeiro choque elétrico. O sofrimento é um professor bem mais eficiente do que o prazer. Memórias negativas são como tatuagens no cérebro.

De forma contrária, para que as coisas boas sejam mais eficientemente processadas e arquivadas, elas precisam ser muito originais e/ou exultantes. Ou então, temos que deliberadamente manter nosso cérebro conectado na experiência positiva até que ela possa ser incorporada à memória de longo prazo.

Nossas memórias, além de serem tendenciosamente negativas, ainda servem de base para a formação de rótulos que podemos definir como memórias mais potentes e distorcidas. O cérebro extrapola os dados armazenados na memória e cria selos ou etiquetas, independentemente dos acontecimentos reais ligados a eles, para pautar decisões rápidas que ele julga ter que tomar, de repente, no presente. Muitos de nossos julgamentos são feitos alicerçados em rótulos imprecisos armazenados em nossa memória inventada. Etiquetamos muitas coisas todos os dias de forma quase instintiva e imperceptível. O próprio padrão de beleza feminino ocidental é um rótulo muito bem-estruturado que diz que mulheres magras, longilíneas e bronzeadas seriam belas e bem-sucedidas.

Dessa maneira, podemos dizer que memórias com etiquetas negativas ou com rótulos culturais pré-estabelecidos distorcem a realidade e costumam dificultar em muito a nossa caminhada rumo à felicidade.

Suposições e previsões

Para sobreviver, nossos cérebros se tornaram exímios produtores de histórias, e como isso tem o intuito de nos proteger, todos os cenários que ele imagina no presente e no futuro têm uma grande quantidade de eventos perigosos e ameaçadores.

Quando o cérebro enfrenta qualquer situação, ele filtra uma grande parte da realidade, prioriza os dados que julga serem os mais importantes e passa a supor detalhes que imagina serem adequados para compor a realidade com a qual precisa lidar. Todos nós já observamos essa habilidade cerebral ao lermos um texto repleto de erros ortográficos, mas, apesar deles, a nossa compreensão não é impedida. O mesmo ocorre ao se dirigir um automóvel: o cérebro preenche, com sua habilidade de supor, os espaços cegos que todos os carros apresentam em sua estrutura física.

Da mesma maneira, nossos pensamentos no dia a dia estão contaminados de preconceitos que trazem consigo um grau considerável de distorção da realidade. Não é por outra razão que associamos a ideia de beleza à bondade ou docilidade, de cabelos grisalhos nos homens à sabedoria, a cor da pele à capacidade ou integridade de caráter, ou a riqueza ao sucesso e ao bem-estar, e até mesmo ao grau de inteligência. Os preconceitos estão na raiz de muitas suposições que existem em nossa sociedade.

Tendo sido projetado para priorizar a sobrevivência a qualquer custo, o cérebro cria histórias predominantemente negativas que tendem a nos deixar tensos, tristes e preocupados na maior parte do tempo. Poderíamos dizer que o cérebro é como um sujeito "mal-humorado" que tenta ininterruptamente nos contagiar com esses ditames pré-estabelecidos.

As suposições são histórias criadas pelo cérebro para preencher a realidade presente, a qual vivenciamos. Já as previsões são as histórias que ele cria para preencher o futuro. Nada angustia mais o nosso cérebro do que ser pego desprevenido por situações desconhecidas. Dessa forma, ele se vale de dados do presente e do passado para projetar cenários futuros em um exercício de pura extrapolação ou de "futurologia". Sem nos darmos conta, extrapolamos, projetamos e prevemos coisas durante todo o dia e vamos, inadvertidamente, moldando nosso comportamento conforme as nossas previsões. Isso, por sua vez, aumenta em muito as chances de nossas previsões se tornarem realidade. Se as previsões fossem repletas de bons pensamentos e sentimentos seria ótimo; no entanto, por sua natureza evolutiva que privilegia a capacidade de sobrevivência, o cérebro prioriza cenários negativos para o nosso futuro. É assim que, sem querer, ele joga um grande balde de água fria em nossa esperança de felicidade. Perceber este fato é um primeiro passo para entender por onde passa o caminho da felicidade.

Emoções e medo

Antes de tudo, vamos fazer uma simples definição do que são emoções e sentimentos. As emoções são reações inconscientes, enquanto os pensamentos correspondem a uma análise em forma de juízo sobre as emoções acionadas involuntariamente pelos nossos cérebros. Emoções são reações instintivas produzidas a partir de estímulos externos, e elas geram uma série de acontecimentos no organismo que resultam em ações motoras, previamente programadas, que se manifestam no corpo. Já os sentimentos, produzidos a partir de emoções, ocupam o território da mente, e por isso mesmo podem ser escondidos das pessoas ao redor ou até mesmo de quem os vivencia.

As emoções primárias são: o medo, o nojo (ou repulsa), a tristeza, a raiva e a alegria. De cara já percebemos que a programação evolutiva do cérebro dispõe de quatro emoções negativas e apenas de uma positiva. Esse fato reforça, de forma inequívoca, que o desenho cerebral foi moldado quase que exclusivamente para a sobrevivência física. Chego a pensar se a alegria nos foi dada como uma espécie de premiação ou descanso da dura rotina que a sobrevivência nos impunha. Por outro lado, é claro que o fato de o sexo produzir alegria nos ajudou muito no quesito disseminação de genes e perpetuação da espécie.

Dentro desse contexto, o medo talvez seja a emoção mais poderosa, criada e formatada pelo cérebro. O medo gera uma série de reações bioquímicas que são produzidas no sistema límbico – região cerebral responsável por originar e modular as nossas emoções – e fazem com que quantidades expressivas de adrenalina, noradrenalina e cortisol inundem o corpo, o sistema nervoso central e periférico, acarretando reações motoras que culminam em ações de luta ou fuga diante dos desafios que a vida impõe.

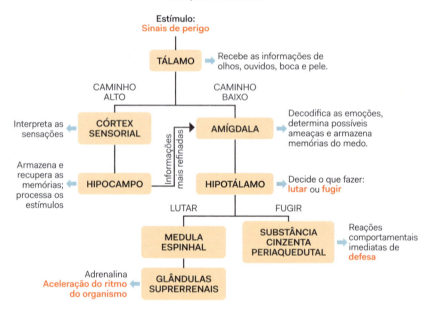

Esquema: Reações bioquímicas.
Elaborado por Ana Beatriz Barbosa Silva e Helena Mello.

Luta ou fuga

Os medos que enfrentávamos há centenas de milhares de anos eram poucos, mas intensamente ameaçadores e mortais. Eles praticamente se restringiam aos momentos de caça em que precisávamos matar animais para nos alimentar. Era literalmente uma situação de "matar ou morrer".

Nos dias atuais, nossos medos são outros, bem mais diversos e na maioria das vezes subjetivos e camuflados em forma de pensamentos racionalizados sobre os outros e sobre nós mesmos. O medo subjetivo e escondido em camadas de motivos falsos é que é o problema, pois se acumula na forma de ansiedade e com o tempo nos faz adoecer, provocando sofrimento crônico e duradouro. É fundamental entender que o medo em si, na sua forma, é simplesmente um mecanismo de defesa acionado para nos alertar sobre a proximidade de um perigo. Esse alerta é dado para que possamos agir de forma a evitar o sofrimento, seja ele físico ou psicológico.

No mundo moderno, a maioria absoluta dos nossos medos é psicológica, por isso uma parcela significativa da humanidade vive em constante estado de sofrimento emocional. O grande problema dessa dor é que ela pode ser gerada e ampliada pelas funções cerebrais que vimos, como a memorização, a suposição, a previsão e o exagero. É com a intenção de nos resguardar ao máximo do sofrimento que nosso cérebro acaba por produzir mais sofrimento emocional, além de amplificá-lo. Assim, ele repete obsessivamente cada lembrança negativa do passado com toques de exagero, acrescenta ainda a mesma dose desagradável de suposições, que acabam por produzir uma série de cenários complexos de situações muito amedrontadoras. Essa tática cerebral tem por objetivo nos afastar de possíveis perigos antes que eles possam acontecer, mas o grande problema dessas simulações é a capacidade que elas têm de gerar uma reação exagerada e constante de medo, independentemente de se tornarem realidade ou de serem ameaças sem relevância, com pouca probabilidade de acontecer.

Em uma verdadeira compulsão por segurança, nosso cérebro acaba produzindo um verdadeiro ciclo de medo e ansiedade no qual muitos se tornam reféns de seus próprios pensamentos. Tudo se torna ameaçador, inclusive os acontecimentos mais banais e, por fim, não mais vivemos, apenas sofremos dentro do nosso "território de segurança" que não mais nos protege, apenas nos adoece e paralisa.

Uma parcela significativa da população humana aceita o sofrimento e passa a acreditar que a vida é assim mesmo. No entanto, essas pessoas suportam o sofrimento por puro medo de enfrentar os seus medos reais, que, em geral, estão relacionados aos seguintes sentimentos: rejeição, fracasso, solidão, controle, desamor, entre outros.

O primeiro passo para se libertar da prisão construída pelos medos é reconhecê-los e encará-los um a um. Não existe liberdade, muito menos felicidade, em uma "gaiola de segurança".

O que realmente nos mantém vivos e nos impulsiona na caminhada da felicidade são as nossas ações e não os nossos medos.

Como driblar a predisposição negativa do nosso cérebro?

Por meio de tudo o que foi apresentado neste capítulo, fica fácil entender como o funcionamento básico e automático do nosso cérebro guarda um viés extremamente negativista, o que acaba por nos predispor ao sofrimento e dificulta, em muito, nossa experiência de felicidade sustentada.

O sistema nervoso dos animais vem sendo esculpido pela evolução há milhões de anos, com prioridade absoluta para solucionar os mais diversos problemas relacionados à sobrevivência das variadas espécies. Por essa razão, répteis, mamíferos, primatas e humanos apresentam um funcionamento cerebral com circuitos neurais muito semelhantes destinados ao medo e preservação contra perigos reais ou, até mesmo, imaginários.

Nossos ancestrais precisavam ficar muito atentos aos perigos, às possíveis perdas entre seus aliados e às ameaças representadas por conflitos com grupos rivais. A vida era literalmente comandada pela "lei da selva". Para fazer frente a essa realidade hostil e amedrontadora, o cérebro humano desenvolveu uma predisposição negativa muito eficiente para detectar perigos e reagir rápido e intensamente a eles, e para produzir memórias dessas experiências em suas estruturas mais profundas.

De fato, nós sobrevivemos e transmitimos nossos genes como nenhuma outra espécie conseguiu no planeta; no entanto, o preço disso tudo foi uma vulnerabilidade permanente ao estresse, à ansiedade, ao medo e ao sofrimento emocional.

Nosso grande e transcendente desafio como espécie é agirmos de forma consciente e persistente na produção de experiências positivas em nosso dia a dia. Além de produzi-las, temos também que dedicar às mesmas uma atenção especial e permanente, pois de uma maneira diferente ao que ocorre com as vivências negativas, que são instantaneamente armazenadas, as experiências positivas precisam de esforço e dedicação para serem fixadas e incorporadas à nossa estrutura neurológica.

Para o cérebro, vale a máxima descrita por Rick Hanson em seu livro *O cérebro e a felicidade*: "O cérebro funciona como velcro para as experiências negativas e como teflon para as positivas".

Se pretendemos viver uma vida de qualidade alicerçada em relacionamentos verdadeiramente amorosos, aprendizado, sabedoria pessoal e felicidade duradoura temos que nos munir de muito conhecimento e inundar nossas mentes com boas emoções, bons pensamentos, ações generosas e gentis todos os dias. Como uma "malhação" para o cérebro. Esse é o convite que a vida nos faz todos os dias. E se quisermos saber o que é felicidade, teremos que aceitá-lo!

Eu já aceitei o meu, e você?

Vire o botão mental e comece a acreditar que apenas a mente positiva é capaz de iluminar nossos momentos sombrios.

7
MALHAÇÃO DA FELICIDADE

Como já vimos, existem pessoas que apresentam uma maior predisposição para a felicidade. No entanto, todos nós podemos experimentá-la. E para isso, importantes mudanças na maneira de pensarmos e agirmos se fazem fundamentais. Dizem que amar só se aprende amando, e ser feliz também requer prática voluntária e dedicação consciente.

Ser feliz é o destino dos que levam a vida com gosto e sabedoria, mas mesmo antes de adquirirmos um nível mínimo de sabedoria vital devemos investir na felicidade individual e coletiva, já que ser feliz traz muitas vantagens.

Por que ser feliz?

Pessoas felizes são mais solidárias, empáticas, amam a si mesmas e ao próximo, conseguem lidar com os problemas do dia a dia de forma mais leve e harmônica. Elas apresentam níveis mais elevados de energia, pensamentos positivos e criatividade. Assim, são capazes de desenvolver naturalmente seus talentos tanto no ambiente profissional quanto no âmbito social. Seus sistemas imunológicos são mais eficientes e, consequentemente, os níveis de adoecimento se mostram bem mais reduzidos. Mesmo quando adoecem, se restabelecem com maior facilidade. Procuram ver o melhor de cada pessoa e de cada situação, ainda que elas sejam desfavoráveis. Suas mentes trabalham com boas doses de determinação e esperança, além de serem enraizadas no sentimento de esperança. Todos esses ingredientes fazem dos indivíduos felizes pessoas com quem gostaríamos de estar, funcionários que as empresas querem em seus ambientes, familiares amorosos e cidadãos mais solidários.

A felicidade é a *commodity* humana mais valiosa que existe, e muitas empresas e universidades passaram a perceber a importância dela para o desenvolvimento humano. Ainda há muito para se fazer nesse sentido, mas passos ainda que pequenos começam a ser dados nessa direção.

Depois de todos os argumentos em defesa da felicidade, sugiro que passemos para a parte prática da questão. Então "vambora" ser feliz!

Faça um diário de gratidão

Todos os dias, reserve dez minutos para listar os acontecimentos que lhe fizeram sorrir, sentir amor por palavras, sons, atitudes, animais, plantas, sol, céu azul, chuva etc. Se você for absolutamente sincero, verá que os momentos bons e alegres são muito mais frequentes em seus dias do que a tristeza. O grande problema é exagerarmos na importância e na intensidade dos fatores ruins. Você pode até não se dar conta, mas estar em paz e sem dores ou angústias é um tremendo privilégio. Somos tão mal-acostumados que supervalorizamos fatores ruins mesmo que ocorram em menor incidência.

Dedique-se a reconhecer as pequenas coisas que temos todos os dias e que nos aciona bons pensamentos e sentimentos:

- dê um sorriso para si mesmo ao lavar o rosto e escovar os dentes;
- dê bom-dia às pessoas e aos animais dentro do seu lar;
- valorize a paisagem que o acompanha no caminho do trabalho;
- valorize o aroma do café;
- valorize o sabor do almoço;
- valorize as novas ideias que inundam seu cérebro em busca de soluções para os problemas;
- valorize a sua autonomia para fazer tudo isso.

Antes de dormir, relembre todos esses itens e agradeça, pois, na maioria absoluta dos dias, a vida se mostra generosa e nos oferece tudo de que realmente precisamos. Memorize todos os momentos bons, inclusive e principalmente os mais simples. Esse arquivo de coisas boas será o melhor remédio que você terá nos momentos realmente difíceis. Agradeça pelas pessoas boas que dividiram o dia com você. A gratidão não impede de termos problemas, mas ela nos fortalece para aceitá-los, enfrentá-los e para crescer com os aprendizados que eles nos deixam. A gratidão não faz com que você tenha tudo o que deseja, mas certamente faz tudo ser suficiente a cada momento, e isso traz paz de espírito, que já é o próprio atestado de felicidade.

Valorize o que você tem de melhor

Fazer uma autoavaliação nem sempre é fácil, mas quando criamos o hábito de nos enxergarmos, pouco a pouco vamos sendo capazes de reconhecer nossas qualidades e, ao reforçá-las, caminhamos de forma mais agradável e consistente para o autoaperfeiçoamento. Isso não significa deixar de ver nossas limitações, mas reduzir a ação delas pelo reforço positivo do que há de melhor em nós. Perceba o que realmente você faz de melhor, atente-se para seus dons e talentos, considere suas melhores competências e seja capaz de valorizá-las. Dedique-se a aperfeiçoá-las e divida seus frutos com outras pessoas: essas ações irão produzir e ampliar a autoconfiança de maneira indestrutível, pois esse sentimento virá de si mesmo, do melhor que existe em sua essência e, por isso mesmo, você não guardará qualquer dependência por outras pessoas ou circunstâncias externas. Descobrir, cultivar, aperfeiçoar e compartilhar o melhor que há em você com tudo e todos é um caminho eficiente para uma autoestima equilibrada e verdadeira.

Cultive os bons pensamentos

Toda vez que você perceber pensamentos negativos, procure trocar seu foco de atenção para algo novo, distraia seu cérebro com uma novidade, pois ele precisará de mais atenção para compreender o que deve fazer. Se você não puder se envolver em uma nova atividade, como um exercício físico diferente, tente acionar boas lembranças. Pensamentos negativos, além de consumirem grandes doses de energia mental, não ajudam em nada na produção ou manutenção do bem-estar duradouro.

Já os pensamentos, as emoções e as ações positivas têm o poder de transformar o cérebro com a abertura de novos caminhos neuronais, o que reflete em melhorias significativas na vida das pessoas que cultivam uma visão mais positiva de ser e viver no mundo.

Procure captar o lado positivo de todas as situações de sua vida, e quando isso não for possível, pense que em algum momento no futuro você poderá colocar positividade em tudo o que aconteceu. Se algo não sair do jeito que você planejou ou desejou, aprenda a aceitar os fatos como eles se apresentam. As coisas não estão contra você; pelo contrário, elas podem estar a seu favor sem que você se dê conta disso. Em vez de ficar lamentando ou remoendo negatividade, vire o botão mental e comece a acreditar que apenas a mente positiva é capaz de iluminar nossos momentos sombrios.

Pratique gentileza

Ser gentil é ser amável, é ser delicado no trato com as outras pessoas. A gentileza é uma forma de atenção com o outro, na qual oferecemos nossos melhores sentimentos sem esperar qualquer tipo de compensação ou retribuição por isso. Os atos de gentileza são bem mais do que boas maneiras aprendidas no processo formal de educação; eles reforçam nossa natureza social e interativa, o que torna a nossa vida e de todos ao nosso redor uma experiência bem mais agradável.

Segundo a psicóloga Barbara Fredrickson, momentos de gentileza, ainda que rápidos, como ao compartilhar um sorriso, ao dizer palavras solidárias ou ao expressar preocupação de forma carinhosa, são capazes de reduzir os níveis de estresse e ansiedade e de melhorar a resiliência emocional nas pessoas com as quais nos conectamos. Esse efeito positivo não se limita às pessoas que recebem os pequenos atos de gentileza, ele também se estende aos indivíduos que iniciam essa conexão. Quando somos gentis, produzimos emoções positivas que funcionam como poderosos nutrientes cerebrais capazes de aumentar nossos níveis de saúde física e mental.

Já a professora Sonja Lyubomirsky, da Universidade da Califórnia, acredita que a gentileza aumenta a liberação cerebral da dopamina, o que gera bem-estar imediato. E, se a gentileza se torna um hábito, o que se observa é um estado duradouro de felicidade.

Eu realmente acredito que a maioria absoluta de nós nasce com predisposição à gentileza, mas acabamos nos desconectando dela por sermos expostos a valores sociais que associam competência e produtividade às atitudes arrogantes e agressivas. Quantas vezes você se pegou ajudando alguém sem pensar? De forma quase natural damos a mão para levantar alguém que caiu. Por acreditar nessa essência, sugiro que você experimente por um mês libertar esse instinto do seu interior, ser mais gentil no ambiente de trabalho, com a família e com as pessoas com as quais você cruza o olhar nos corredores ou elevadores. Após um mês, perceba como você se sentirá melhor; as boas energias dedicadas aos outros retornarão para você em forma de saúde, bem-estar e paz de espírito. Depois dessa experiência, decida de forma consciente ser alguém verdadeiramente gentil no seu dia a dia: elogie quem lhe presta um bom serviço, ouça com atenção quem lhe procura, se coloque no lugar do outro, abrace as pessoas com vontade, seja carinhoso com seus familiares, ajude a quem você puder e a quem seu coração pedir.

A gentileza produz uma força conectiva tão intensa entre as pessoas que elas poderão até se esquecer de você no futuro, mas jamais esquecerão da energia amorosa que receberam de você no passado. Eu tive o privilégio de perceber isso no trato com pacientes com o mal de Alzheimer. Muitos deles, já em fase avançada da doença, iam ao consultório acompanhados de seus familiares e não sabiam mais quem eu era, mas todos abriam um sorriso amoroso quando eu lhes pedia um abraço gostoso. E, naqueles momentos, uma emoção de alegria e contentamento me tomava por inteira, era o melhor de mim, acionando o melhor no outro.

Saiba escolher bons relacionamentos

Por sermos seres sociais, precisamos do contato com o outro para o nosso desenvolvimento. É por meio do relacionamento interpessoal que reafirmo e amplio minhas características individuais. Quanto maiores forem os vínculos, maiores serão as influências que eles exercerão sobre a nossa maneira de pensar e agir. Por essa razão, devemos escolher com muita atenção e sabedoria as pessoas com as quais dividimos intimidades, segredos e nossos melhores sentimentos.

Construir bons relacionamentos é uma espécie de arte que precisa ser aperfeiçoada com o amadurecimento e a expansão de nossas consciências. Seja no contexto profissional, amoroso ou familiar, os relacionamentos sempre irão requerer de nós uma espécie de manutenção cuidadosa. No tema específico dos relacionamentos afetivos, é recomendável que ambas as pessoas se comprometam em fazer um registro diário ou semanal das experiências boas que acontecem no dia a dia. Com esses registros, torna-se mais difícil o apagamento ou o desgaste das relações. Procure sempre destacar e valorizar os aspectos positivos do seu parceiro ou parceira, especialmente aqueles relacionados à sua admiração e respeito por ele ou ela. Incorpore à sua mente situações em que você sentiu uma espécie de conforto vital na companhia dele ou dela. Valorizar o que o outro tem de melhor fortalece os laços afetivos, ajuda a manter um humor elevado e também a lidar de forma mais suave com as chatices e irritações inerentes à intimidade. Quando agimos assim, aumentamos muito as chances de o outro também nos tratar melhor, uma vez que se sentirá mais aceito e compreendido.

Pratique exercícios físicos

Os exercícios físicos são parte importante em qualquer programa de redução de estresse e ansiedade. A descarga de tensão física e emocional que acompanha uma vigorosa sessão de exercícios reduz direta e indiretamente esses sintomas, bem como reforça as resistências ao estresse, contribui para a melhora na taxa de neurotransmissores e promove mudanças psicológicas benéficas.

Além de melhorar o funcionamento cardiovascular, a atividade física regular produz um bem-estar geral pelo aperfeiçoamento do funcionamento cerebral. O exercício desobstrui e dilata os vasos sanguíneos do corpo e do cérebro, favorecendo a oxigenação e a circulação. Assim, mais nutrientes podem fluir para a execução das funções neuronais e mais componentes tóxicos podem ser removidos do corpo como um todo.

O exercício regular não só induz progressos funcionais no cérebro, mas também altera de forma surpreendente a própria química cerebral de um modo muito positivo, por meio das endorfinas beta. Essas substâncias, além de possuírem efeito sedativo para a dor, apresentam um efeito importante sobre a disposição e o ânimo. Elas reduzem também a ansiedade e a tensão nervosa.

Transforme a prática de exercícios físicos em um bom hábito. Isso, além de melhorar seu humor e autoestima, poderá também eliminar ou reduzir hábitos prejudiciais à sua saúde, como o consumo excessivo de bebidas alcóolicas ou de alimentos hipercalóricos e pouco nutritivos. As mudanças alimentares ocorrem de maneira gradual e estão relacionadas aos novos hábitos, e também à redução da resistência à insulina presente em grande parte dos sedentários portadores de síndrome metabólica.

Escolha uma atividade física de que você goste. Se não se interessar por nenhuma, comece com caminhadas de trinta a quarenta minutos três vezes por semana e, com o tempo, estenda para cinco vezes. Você pode experimentar outras possibilidades como natação, tênis, crossfit, lutas, trilhas, bicicleta, entre outras. Só não vale deixar de tentar. Após seis meses, faça uma autoavaliação sincera e repare com atenção como você está melhor em vários aspectos: mais calmo, mais disposto, mais social, mais autoconfiante e, especialmente, mais feliz consigo mesmo.

Coloque a meditação em sua vida

Meditar é uma prática que pode trazer inúmeros benefícios físicos e mentais, e é importante também como ferramenta de autoconhecimento. Existem diversas técnicas de meditação, e você pode escolher a que mais se adequa ao seu jeito de ser. No capítulo "Meditar é preciso", dividirei com você dados científicos que comprovam a eficácia dessa poderosa técnica de bem-estar duradouro em seus praticantes e também apresentarei minha forma de meditar baseada na pulsação cardíaca.

Entendendo e praticando o perdão

A maioria das pessoas pensa que perdoar é um mero sinônimo de esquecer ou até de tolerar a partir de um pedido de desculpas. No entanto, devo dizer que perdoar se trata de um processo bem mais profundo e complexo. Perdoar de verdade é algo que vai muito além do "tudo bem, eu te perdoo". Perdoar é um caminho longo no qual vamos nos libertando da mágoa, do ressentimento e da raiva que sentimos por alguém que nos ofendeu, traiu ou errou feio conosco. Ao perdoar, nos libertamos desses sentimentos e de emoções negativas.

Se considerarmos que a verdadeira felicidade é um estado de paz interior que não necessita de outras pessoas ou de circunstâncias externas, podemos entender o quanto o ato de perdoar nos capacita para a liberdade de sermos inabaláveis frente às adversidades vitais. Nesse sentido, perdoar é ter o poder de seguir o caminho da ascensão ética independentemente de tudo e todos. Quando o outro nos desperta os piores instintos e sentimentos, nós nos deixamos contaminar por eles, automaticamente retrocedemos em nossos intentos e na nossa jornada de autoaperfeiçoamento.

Quando alimentamos a mágoa e a raiva, nosso cérebro passa a funcionar de forma primitiva, como se estivéssemos em uma luta voraz de vida ou morte. Agimos e pensamos em modo de ataque e defesa. Somos tomados por pensamentos recorrentes de vingança que incluem confrontos verbais e físicos, ou de fuga, que nos faz evitar a qualquer custo o contato com quem nos "feriu". Viver nesse estado de guerra interna desencadeia uma série de mudanças metabólicas que culminam em níveis elevados de medo, ansiedade, nervosismo, insegurança, tristeza e seus consequentes adoecimentos.

Quando perdoamos, tiramos o cérebro e toda a nossa atividade mental desse estado de luta ou de fuga e revertemos todas as alterações bioquímicas maléficas do estresse prolongado. Assim reduzimos as dores físicas e psíquicas, os níveis de cortisol e adrenalina, a pressão arterial, fortalecemos a imunidade e as relações afetivas.

É importante destacar que perdoar não é esquecer, e sim recordar sem perder a paz interna. Comece perdoando coisas que ocorrem no dia a dia, como alguém que furou a fila do supermercado bem na sua frente, ou alguém que o ofendeu no trânsito. Imagine que essas pessoas podem ter algo a ensinar. Na primeira situação, você pode perceber que não agiu como ela, ou seja, com arrogância ou falta de educação. Ao não se contaminar com isso, você deixa todo esse mau comportamento com quem agiu assim e não precisará carregar esse peso e suas consequências pela vida. No segundo caso, o xingamento no trânsito pode ser encarado como um bom momento para você praticar a tolerância em relação a uma situação desagradável, ou, ainda, perceber se suas práticas de meditação têm sido eficazes para a manutenção do seu bem-estar fora do estado meditativo em si. Tente encaixar tudo como pequenos testes e sinalizações, dessa forma a vida poderá se tornar bem mais leve e educativa.

Existem casos em que o perdão se torna um grande desafio, como ter por perto um parceiro cruel ou, em casos extremos, um assassino frio que vitimou um ente querido seu. Nesses casos é preciso entender que não precisamos fazer "as pazes" com essas pessoas; devemos e precisamos fazer as pazes com nós mesmos. E, para isso, temos que nos distanciar delas por uma questão de respeito por si e para o restabelecimento do amor-próprio. Assim, o perdão é uma espécie de desconexão, um virar de página ou mesmo um marco divisor na nossa história, quando encerramos uma etapa e começamos uma nova, mais alinhada com o sentido e o propósito da vida.

Dê sentido e propósito a sua vida

Antes de qualquer coisa, precisamos entender que somos parte da natureza e, por isso mesmo, somos submetidos às mesmas leis que as rege. Assim como um rio que dá sentido a si mesmo se avolumando de água e cumpre seu propósito ao desaguar no mar, nós, seres humanos, também temos um propósito a cumprir. Esse propósito guarda relação com características essencialmente humanas. Somos dotados de livre-arbítrio e da extraordinária capacidade de sermos conscientes. O livre-arbítrio nos capacita a escolher os caminhos pelos quais cumpriremos nosso propósito. E a consciência nos impulsiona a buscar sentidos éticos e morais, além de nos ensinar a amar e nos responsabilizar por nossos atos e pelas consequências que podemos produzir nos outros. É a expansão ascendente da consciência que nos faz sermos humanos em plenitude, e esse é o propósito da vida de cada um de nós.

A melhor maneira de se alinhar ao propósito da vida humana é identificar o que você tem como dons ou talentos únicos. Antes se pensava que só havia um tipo de inteligência, e que só o saber lógico era relevante, ou mesmo quantificável por meio de testes de QI. Hoje sabemos que todos nós temos múltiplos saberes a serem desenvolvidos em diversas áreas além da lógica, como a linguística, a corporal, a interpessoal e mesmo a existencial, em que se questionam os porquês da vida, como estamos fazendo juntos neste livro. Todas elas podem ser exercitadas desde cedo na vida, e uma das formas mais eficazes é a conhecida técnica das 10 mil horas. Nela, após identificada uma aptidão, deve-se dedicar esse total de horas, durante anos, para atingir um elevado grau de virtude nesse talento, com empenho e treinamento constante.

Damos sentido à vida ao exercer e aperfeiçoar constantemente os talentos, até que, por fim, seja possível compartilhar os frutos dessa jornada com o máximo de pessoas que se possa alcançar. Esse movimento de partilha do seu melhor com os demais é o próprio amor em movimento, e é por meio dele que construímos uma identidade mais pura e verdadeiramente feliz.

A falta de sentido e propósito na vida pode produzir uma série de adoecimentos físicos, mentais e espirituais. Entre os mais comuns podemos destacar as doenças cardíacas, autoimunes, os transtornos ansiosos, a angústia, depressão e os transtornos compulsivos, como vícios em geral. Viver sem propósito de vida é simplesmente subsistir.

Exerça a sua espiritualidade

Avaliar a espiritualidade de alguém apenas pela sua religiosidade é passível de muitos erros e equívocos. Conheço muitas pessoas que frequentam com assiduidade os cultos de determinada religião, mas em seu dia a dia não exercitam os preceitos que exaltam em seus rituais; suas práticas são restritas ao território limitado de suas agremiações religiosas. Por outro lado, encontro pessoas que não seguem qualquer religião específica e, no entanto, desempenham inúmeras atitudes altruístas e verdadeira fé na vida.

O que realmente importa para o nosso bem-estar é que possamos estabelecer uma conexão com o sagrado ou o transcendental em nós mesmos, seja por uma busca pessoal e independente de vínculos religiosos, seja por meio de uma religião específica. Acreditar nessa aproximação com algo superior cria uma espécie de conforto existencial que alimenta nossa força interior e nos conduz com maior motivação na direção dos nossos propósitos de vida. A fé não torna a caminhada necessariamente mais fácil, mas com certeza faz com que não desistamos antes do aprendizado necessário.

No capítulo 11 do meu livro *Mentes depressivas*, cito diversos estados que atestam o poder "terapêutico" da fé na recuperação de enfermidades, e também na promoção da saúde física e mental. Existem muitas formas de praticar e exercer a espiritualidade. Entre elas, cito algumas: frequentar uma religião específica, fazer ioga, tai chi chuan, trabalhos voluntários em hospitais ou instituições de caridade, meditação, estudos filosóficos, cosmológicos e de autoconhecimento, participação em grupos de oração e quaisquer outras práticas que acionem o que de melhor existe em você.

Escolha aquela que lhe proporcione a mais agradável sensação de paz de espírito, pois no meu entendimento essa é a "senha do wi-fi" que nos conecta com fonte criadora infinita. Reserve dez minutos do seu dia para este fim e observe os efeitos positivos que aparecerão em sua vida.

*Nós não nos fazemos
conscientes, nós somos a própria
consciência plena.*

8
OS VERDADEIROS ALICERCES DA FELICIDADE I

De maneira correta ou não, nos dias de hoje, qualquer pessoa tem algo a dizer sobre o que entende ou percebe como felicidade. O assunto sempre é motivo de conversas entre amigos, postagens em redes sociais, reportagens em revistas, livros, blogs da internet e canais do YouTube ou da TV. O acesso à informação do mundo globalizado contribuiu muito para a nossa realidade por um lado e isso é muito bom. De alguma forma somos levados, ainda que superficialmente, a realizar reflexões sobre o que é a felicidade e como ela pode ser incorporada em nossas vidas. No entanto, o excesso de informações sobre esse tema também favorece distorções capazes de produzir uma série de falácias sobre os melhores caminhos para alcançá-la. Nesse sentido, costumamos nos deparar com pessoas que se dizem detentoras de verdadeiras "fórmulas da felicidade", sejam elas na forma de produtos, vivências ou terapias da moda. Vale a pena destacar que qualquer coisa oferecida como uma solução mágica com resultados rápidos e fáceis deve ser vista com uma boa dose de cautela.

Estar em consonância com a vida significa perceber que ela sempre se comporta conforme o esperado, não do nosso ponto de vista limitado e sim dentro de um contexto muito mais amplo no qual compreendemos que somos seres vivendo uma experiência material momentânea, que nos oferece uma oportunidade única de nos tornar melhores para nós mesmos e para todos ao nosso redor.

A busca da felicidade verdadeira deve ser vista como o meio mais eficiente e agradável de atingir a evolução positiva durante nossa experiência material terrena. E para que possamos fazer isso precisamos conhecer as verdades que alicerçam essa caminhada tanto em seus aspectos individuais quanto coletivos, afinal somos todos interconectados, ainda que apenas uma minoria entenda isso.

Seja inteiro em tudo que faz: a vida é aqui e agora

De forma simplificada falarei sobre a relação íntima que existe entre a consciência e o tempo. Podemos definir a consciência, de forma objetiva, como a capacidade de perceber e compreender nosso universo interno e particular, bem como o mundo ao nosso redor. Nossa consciência é algo muito além do que nossos pensamentos. Pensamentos são criações do cérebro que visam nos manter vivos e satisfeitos. Nós não somos os nossos pensamentos, pois somos capazes de "observá-los" e identificá-los como algo, por vezes compatível com nossa essência e outras vezes como algo intrusivo, disfuncional e totalmente estranho ao nosso ser.

Em última instância, nós somos a nossa própria consciência, existimos acima de nossos pensamentos e da estrutura física que os produz. É fácil perceber isso quando nossa atenção plena é direcionada a algo no momento presente, para um objeto como a chama luminosa de uma vela acesa ou as batidas do nosso próprio coração. Quando você faz isso, uma conexão com o tempo presente é estabelecida e de forma natural os pensamentos que lhe conectam com acontecimentos passados ou projeções futuras são reduzidos de forma drástica até serem eliminados, e aí nesse instante presente você vivencia o que de fato é a consciência plena: a sua essência vital.

Já o tempo pode ser entendido como uma dimensão sobre a qual caminhamos, e nessa caminhada podemos percorrer diversos lugares, no entanto, o momento exato de cada passo nessa trajetória jamais poderá ser vivido novamente. O tempo jamais se repete; cada segundo da sua existência é único e inédito. Podemos passar pelos mesmos locais nesta caminhada, mas nunca no mesmo tempo.

Se o tempo é uma entidade totalmente instável e em constante mutação, ele não pode ser a âncora do nosso verdadeiro eu, pois este existe independentemente do tempo, ele sempre foi e sempre será. O grande problema é que para viver nesse mundo temos que criar uma identidade falsa (denominada ego), que é obrigada a se travestir de diversos aspectos socioculturais para realizar coisas compatíveis com a vivência humana, e para organizar a realização dessas ações é necessário se valer da abstração de tempo que, nesse caso, é simbolicamente medido por um artefato mecânico denominado relógio.

Dessa forma, vivemos uma alternância constante entre o *ser* verdadeiro (consciência plena) e o *fazer* do mundo ao redor (ego). A maioria absoluta de nós acorda todos os dias para se dedicar a uma rotina de quase que totalmente *fazer* do ego. Envoltos em um estilo de vida acelerado, pouco criativo, desprovido de propósitos verdadeiros e com reduzidas doses de afetos genuínos, vamos nos afundando em uma vivência oposta à natureza do nosso *ser* e lentamente vamos adoecendo em uma espécie de desconexão progressiva com a nossa essência.

O mundo moderno está repleto de ilusões habilmente construídas e ardilosamente propagadas como fórmulas fáceis para se alcançar a tal felicidade, porém em todas elas o modo fazer e pensar são levados a um ponto que o espaço para a consciência é praticamente inexistente. Quando removemos as ilusões provenientes do ciclo vicioso do fazer e pensar da nossa vida cotidiana, nos tornamos mais presentes, atentos e receptivos, restabelecendo a conexão com a nossa consciência inata. Nós não nos fazemos conscientes, nós somos a própria consciência plena.

Por tudo que vimos até aqui, podemos concluir que ser consciente é a nossa natureza atemporal e, para acessarmos esse estado, precisamos estar totalmente focados no presente, sem agir e sem nos dispersarmos em abstrações do passado ou do futuro. E isso só é possível em duas situações. Uma delas ocorre no pleno exercício de um dom, quando tudo se alinha perfeitamente como um passe de mágica. Esses momentos são raros e totalmente imprevisíveis, e por isso mesmo fora de nosso controle; para alguns, essas ocasiões poderiam ser chamados de "saltos quânticos" da consciência humana. Outra maneira de se acessar a essência do ser é por meio da meditação, uma técnica que pode ser treinada e aperfeiçoada com nossa vontade e determinação e que tem a capacidade de "parar" o fazer e o pensar no aqui e no agora, e dessa forma abrir as portas para que a consciência plena se manifeste. Estar em consonância com a essência do ser no momento presente aumenta de forma significativa nossas chances de experimentar a felicidade. Afinal, a felicidade verdadeira é antes de tudo uma postura que assumimos quando nos conectamos de maneira frequente com a nossa consciência e nos contentamos exatamente com isso: apenas ser.

No capítulo sobre meditação, falarei de forma mais detalhada e prática sobre as melhores maneiras de nos conectarmos com a nossa consciência genuína.

Poucas coisas estão sob seu controle: aceite isso!

Ignorar ou não aceitar alguns fatos que fundamentam a nossa existência pode ser o verdadeiro motivo dos nossos maiores sofrimentos. Independentemente do que você deseje, pense ou faça, tudo muda o tempo todo, e isso repercute em cada um de nós, ainda que de maneira sutil ou mesmo imperceptível. Perceber essa verdade é fácil quando se trata de acontecimentos como grandes tragédias que abalam a todos. Elas nos fazem perceber que tudo pode mudar em frações de segundos, e que, de uma forma ou de outra, todos somos atingidos por essas mudanças, seja de maneira direta ou indireta.

Se analisarmos com atenção, perceberemos que a maioria absoluta das mudanças se processam de forma sutil tanto em nossas vidas individuais quanto no mundo como um todo. O desenrolar da vida ocorre por incontáveis mudanças a cada instante e todas elas repercutem em todos nós. Sem que percebamos, cada escolha, por menor que possa parecer, tem o poder de alterar as nossas vivências e também a de um número incalculável de outras pessoas. Isso também vale para todas as demais espécies animais, vegetais e de micro-organismos. Todos nós vivemos em um verdadeiro caldeirão de infinitas possibilidades, onde tudo e todos estão interconectados.

Diante dessas simples considerações, podemos constatar que é absolutamente impossível controlar o fluxo infinito de mudanças aos quais estamos submetidos durante todo o tempo da nossa existência. Lutar contra essa verdade vital equivale a assinar um contrato de infelicidade vitalícia. É por isso que quanto mais tentamos controlar os acontecimentos de nossas vidas ou das vidas de quem amamos, mais infelizes nos sentimos. A situação limite em relação à não aceitação dessa verdade é a figura do controlador inveterado: ele acaba por transformar a vida em uma luta árdua e inglória, repleta de frustrações, dor e sofrimento.

Você agora deve estar pensando: se não consigo controlar as infinitas mudanças que podem ocorrer na minha própria vida, nem mesmo das pessoas ao meu redor, como devo viver? Será que o certo seria não fazer nada e deixar as coisas simplesmente acontecerem? Ou será que existe, dentro desse vasto universo de escolhas, algumas que devam ser priorizadas?

Preciso confessar que muitas vezes também me fiz essas mesmas perguntas, e só há poucos anos pude obter minhas próprias respostas. Com elas, a caminhada vital tem sido bem mais agradável. Descobri que as melhores respostas são simples, produzem harmonia em nossas ações e reduzem o atrito do viver.

A simplicidade, em geral, encontra-se perceptível a todos nós por meio da observação silenciosa da natureza. Numa espécie de dança cósmica, ventos carregam sementes por milhares de quilômetros, chuvas irrigam a terra, o sol aquece e faz brotar diversas formas de vida, lagartas passam por metamorfoses e viram borboletas multicoloridas, estrelas mudam de lugar, marés sobem e descem, cometas cruzam o espaço, e assim tudo se mantém em constante movimento de transformação. Conseguimos observar essa verdade na natureza, mas temos extrema dificuldade de lidar com isso em nosso dia a dia. Isso ocorre não por falta de consciência, mas sim por vaidade e arrogância humana em não se ver como mais um ser vivo a compor essa natureza. O domínio tecnológico atingido pelo ser humano o fez perder a noção de que ele é parte do todo e não o soberano criador e dono de tudo. E, como parte que somos, possuímos um papel a desempenhar nessa complexa e deslumbrante engrenagem que é o universo. Temos que ter humildade para perceber e aceitar que cada elemento do grande espetáculo da vida tem um sentido para existir e um propósito para realizar.

Por algum motivo que sinceramente desconheço, nós humanos fomos dotados de uma capacidade ímpar de autoavaliação e autotransformação proposital. E, se temos essa capacidade, concluo que ela é algo essencial para o desempenho de nossa missão. Simples assim!

Além de termos consciência de nossa existência, ainda trazemos conosco habilidades especiais que variam de pessoa para pessoa, são nossos dons e talentos. Eles funcionam como artefatos facilitadores para que possamos cumprir nosso papel na vida de forma mais suave e com menos atrito. Quando utilizamos nossos dons e talentos para dar sentido a nossa existência na direção do autoaperfeiçoamento, uma espécie de mágica acontece, o caminho se apresenta e a caminhada ocorre de forma harmoniosa, na maior parte da trajetória. Simples assim!

Podemos concluir que fazemos parte de um universo que tem nas mudanças constantes a sua razão própria. Tudo muda o tempo todo no mundo, e essa regra também inclui as nossas vidas. Ainda que isso não pareça algo seguro ou confortável à primeira vista, é assim que as coisas funcionam. E sinceramente acredito que há uma razão ou lógica para que assim seja. O fato de não entendermos uma verdade não faz com que ela deixe de ser verdadeira, apenas indica a nossa impossibilidade de compreendê-la ou até de aceitá-la.

Aceite a vida como ela se apresenta. Se coisas injustas ocorrem, lute para mudá-las, mas utilize sempre o que existe de melhor dentro de si para esse propósito. Qualquer outra postura, como raiva ou revolta, só irá produzir dor e sofrimento, que não combinam em nada com a verdadeira felicidade. Tenha a sabedoria de um velho marinheiro que nunca nada contra a maré e, em dias de nevoeiro, conduz seu barco bem devagar...

Evite comparações: todos nós somos únicos

A humanidade sempre se valeu de objetos e figuras para expressar sua espiritualidade; a esses eram atribuídos poderes sobrenaturais, como o poder de comunicação com pessoas já falecidas. Assim nasceram os primeiros ídolos da nossa história, bem como a prática de adoração a eles, o que se chama de idolatria. De forma bem explícita, a idolatria revela uma admiração profunda por seres, humanos ou não, que supostamente eram capazes de realizar coisas que nos eram impossíveis.

Séculos se passaram, e o conceito de ídolos sofreu mudanças. Nos dias atuais, os ídolos englobam entidades espirituais e seres humanos. O problema das definições dos ídolos, especialmente os humanos, é que elas são, em geral, criadas com o nítido objetivo de exaltar valores socioculturais de determinados grupos em um dado momento histórico. Nos dias atuais, essas definições se valem da grande mídia e das redes sociais para capturar seus adoradores e estabelecer uma idolatria sólida que possa perdurar pelo maior tempo possível. Com os avanços tecnológicos que permitiram uma descentralização da informação por meio da internet e, principalmente, das redes sociais, o acesso à vida das pessoas se tornou muito fácil, e isso acabou por intensificar uma indústria produtora de ídolos instantâneos, celebridades e *influencers*. Ser uma celebridade não significa ser reconhecida ou admirada por suas virtudes, talentos ou atitudes, e sim ser visto, cobiçado ou invejado. Esse paradigma transformou as pessoas em "mercadorias" expostas capazes de despertar a cobiça de um número incalculável de outras.

Munidos de grandes doses de vaidade e ambição, o comportamento on-line cria uma dependência na qual as pessoas gastam energia e tempo agindo para atingir êxitos que quantifiquem e estampem o seu grau de sucesso, traduzido em número de seguidores e engajamento. Nessa concepção, níveis elevados de competitividade se estabelecem nas relações reais e virtuais e, como consequência natural, a comparação entre as pessoas se tornou um mecanismo na construção das identidades pessoais.

Todo esse movimento cria um verdadeiro abismo entre a persona que construímos perante a sociedade e o verdadeiro eu que somos em essência. E, como não há possibilidade de sermos felizes fora de nós mesmos, as comparações só servem para tornar a caminhada da felicidade uma estrada dolorosa e desprovida de sentido.

Todos somos dotados de alguma ambição. Todos almejamos progredir na vida. Precisamos entender que a ambição não deve ser direcionada para fora ou para cima (para os que têm mais do que nós), e sim para dentro, de maneira que essa ambição contribua para um sentido de autoaperfeiçoamento, e não para a comparação com a trajetória do outro. Podemos admirar aqueles que nos inspiram com ideias, valores e atitudes, isso torna o caminho mais alegre. Mas se essas inspirações só servirem para tecer comparações pessoais, estaremos construindo apenas sentimentos de adoecimento, como a inveja. Tomados pela inveja, nos transformamos em seres repletos de percepções negativas sobre a própria vida, o mundo e sobre nós mesmos. Focados na vida dos outros que julgamos estarem em posições superiores à nossa, perdemos o rumo e nos desviamos de um caminho positivo, que só pode ocorrer quando depositamos nossas energias no trabalho duro alicerçado em nossos talentos. Com esses talentos a nosso serviço e com a percepção de respeito pela nossa trajetória e a do outro, podemos de fato fazer a diferença no mundo e em nossas próprias vidas.

Olhe para cima, sim, mas não para se comparar com alguém, e sim para se conectar com seus sonhos e inspirações. Todos somos únicos, e de forma única faremos a nossa "lapidação existencial", como as joias que somos. Se você não admira a pessoa que você é hoje, dedique-se a se reconstruir e a ressignificar a sua vida. Somente desse jeitinho você será verdadeiramente feliz.

Seja grato

Gratidão é uma das palavras mais proferidas em nossos tempos. No entanto, observo que poucas pessoas entendem seu significado, e por essa razão transformam a sua prática em algo distorcido e disfuncional. Em geral, temos profunda dificuldade de sermos gratos e imensa facilidade em manifestarmos a ingratidão. A gratidão pode ser definida por um reconhecimento de uma pessoa por alguém que lhe prestou um benefício, um auxílio, um favor. Se ficarmos apenas com esta definição estreita e pragmática de "gratidão" oferecida por um dicionário, jamais seremos verdadeiramente gratos. Essa qualidade dicionarizada é bastante adequada para definirmos um ato de educação perante atos de gentileza ou generosidade recebidos.

Já a gratidão a qual quero me referir e que guarda profunda intimidade com a capacidade de sermos felizes tem um significado bem mais amplo e profundo. Exercer a gratidão, ou ser grato, está diretamente relacionado a nossa forma de perceber e interpretar tudo o que acontece em nossas vidas. Trata-se de uma questão de "ponto de vista" ou de mentalidade. A visão de uma mente grata está relacionada a uma matemática simples: perdas, frustrações ou sofrimentos são sempre transitórios, mas ganhos advindos de seus ensinamentos podem ser eternos, se estivermos prontos para incorporá-los à nossa vida.

É interessante observar que enquanto a comparação com o outro direciona nosso olhar para cima, a gratidão nos faz olhar para os lados (para os que são iguais a nós) e para baixo (para os que têm menos do que nós). Passamos a entender que tudo acontece dentro de um propósito maior, para nós e para os outros também. Mesmo que não tenhamos capacidade momentânea para compreender diversos acontecimentos, eles estão todos dentro de um contexto bem mais amplo e transcendente.

Nesse sentido, o oposto da gratidão não é a ingratidão, e sim a reclamação. Nossa tendência é a de reclamar de tudo o que ocorre fora das nossas expectativas, e dessa forma gastamos muita energia lamentando fatos que nos entristecem, o que só aumenta nosso sofrimento. Quando nos dispomos a olhar ao redor, percebemos que todos os seres humanos enfrentam situações indesejáveis; o que pode nos diferenciar é a reação que teremos frente a tudo isso. Ao perder alguém que amamos, nos deparamos com a imensa dor da perda, o que é natural e legítimo, mas se limitarmos nossa relação com a pessoa amada ao sofrimento da perda, esqueceremos tudo de bom que vivemos com ela. E, saiba, nenhum sofrimento no mundo é capaz de trazer alguém de volta a essa vida, o que torna inútil o esforço para reparar a dor da perda. No entanto, quando nos desconectamos da dor momentânea e nos permitimos acessar os inúmeros momentos de alegria e amor que compartilhamos com aquela pessoa, um sentimento de gratidão invade nossa alma pela oportunidade que nos foi dada por aquela convivência e por todo o aprendizado que ela nos proporcionou.

Adotar uma mentalidade de gratidão perante a vida não elimina a nossa "cota" de dores vitais, mas garante níveis mais elevados e duradouros de felicidade durante a nossa existência.

Além de lidarmos melhor com as adversidades, quando somos gratos, reconhecemos também o quanto somos abençoados a cada dia.

Os físicos costumam dizer que todo caos guarda em si uma cota de energia reconstrutiva proporcional à destruição produzida. Por essa perspectiva, ser grato é ver a reconstrução antes mesmo que ela aconteça, é apostar na vida mesmo quando nada acontece conforme o desejado ou quando tudo parece perdido. Acredite na vida. Ela é especialista em renascimentos.

O amor verdadeiro é o alicerce de tudo

Falar sobre amor é algo que fascina o ser humano desde sempre, e isso pode ser constatado de maneira muito simples. A palavra amor talvez seja a mais utilizada nas mais variadas línguas e culturas. As citações sobre o amor são incontáveis e abarcam diferentes tipos de pensamentos e emoções. Poetas, artistas, músicos e pintores já o definiram em inimagináveis facetas, e todas são reflexo de uma cultura em determinado tempo. Os sentidos atribuídos ao amor foram se alterando no decorrer dos séculos e alguns desses significados foram supervalorizados. Se por um lado esse comportamento nos nutre de autoconfiança coletiva, por outro pode gerar equívocos conceituais capazes de se cristalizar por muitos séculos e gerações.

Dentro desse contexto, podemos concluir que é necessário repensar o que corriqueiramente denominamos amor. Ele precisa ser visto sob uma ótica mais cuidadosa e menos reducionista, menos dependente de conceitos predefinidos.

A maioria de nós conhece e vivencia o amor somente no território restrito das relações afetivas pautadas no amor romântico.

Ele é amplamente divulgado e estimulado em nossos tempos e promete aos amantes um produto completo que inclui: apego, cuidado e sexo para toda a vida. O grande problema desse tipo de amor não é a sua definição teórica, mas sim sua prática cotidiana. Os mais recentes estudos da neurociência revelam que apego, cuidado e sexo apresentam circuitos neurais independentes no cérebro humano. Isso nos leva a considerar o amor interpessoal como sinônimo da paixão e, como sabemos, a paixão é algo momentâneo e, na maioria das vezes, disfuncional. Quando estamos apaixonados vivemos sob lentes bastante restritas dos nossos desejos e idealizações.

A utopia do amor romântico, como ele é "vendido" pela indústria de casamentos de contos de fada, tem se mostrado uma usina geradora de crises nas relações amorosas. Os indivíduos entram em um casamento repletos de expectativas, apostam na estabilidade, no aconchego, na perenidade. No entanto, desejam e esperam que tais ingredientes salutares sejam acompanhados com o tempero da paixão e da atração física inflamada.

As pessoas, em sua grande maioria, casam-se ou se unem quando estão apaixonadas, e é justamente nesse momento que todas as suas expectativas amorosas se encontram exacerbadas, como um número elevado a potências grandiosas, fazendo da união uma equação que se mostra imprecisa e potencialmente desencantadora. É muito fácil observar isso em nossa cultura. "Corações partidos" são temas de incontáveis canções, romances, novelas, seriados, poesia, pinturas e esculturas. Esse tipo de amor é pura ilusão, e as ilusões sempre nos conduzem ao sofrimento, pois nos fazem criar expectativas ou exigências que não serão concretizadas.

O amor sobre qual quero falar em nada se assemelha ao estereótipo do amor romântico ou do amor condicionado que costumamos ver em nossos tempos. Vou denominá-lo de "amor verdadeiro" ou "essencial". Ambas as adjetivações me parecem bem pertinentes, pois "verdadeiro" denota algo que por si só é real e atemporal, independente de condições ou idealizações pessoais. O amor verdadeiro é um instrumento capaz de conectar o que há de mais profundo e genuíno entre um ser e outro.

O amor a que me refiro pode ser sentido de forma espontânea e sem qualquer condição. Observe uma borboleta em pleno voo de cores e elegância. Em poucos segundos uma espécie de ternura, admiração e empatia toma conta de você, e, sem que se perceba, um fluxo de amor estabelece uma conexão entre vocês sem que seja necessária qualquer tipo de comunicação formal. Nesse exato momento você vivencia o amor e seu poder de produzir felicidade de maneira suave e instantânea.

Talvez você possa ter uma certa dificuldade em distinguir a consciência prática e cotidiana da consciência amorosa e transcendente. Uso o termo **ser consciente** ou **ter consciência** como nossa alma ou dimensão espiritual e **estar consciente** apenas para dizer que alguém está em estado mental desperto. Trata-se de um estado provisório que pode variar diversas vezes entre o acordado, o sonolento, confuso ou até mesmo em coma. Já o **ser consciente** é uma característica atemporal e imutável, pois todos temos uma alma ou espírito, que pode mudar e se encontrar em diversos níveis de evolução ou iluminação.

A nossa consciência no sentido espiritual existe, antes de tudo, no campo dos afetos. É um senso de responsabilidade, respeito e generosidade baseado em conexões emocionais de extrema nobreza existencial com outras criaturas, sejam elas humanas ou não, e também com o universo como um todo. A nossa alma é uma espécie de identidade que possui vida própria e que independe da nossa razão. É a voz secreta que habita em nosso interior e que nos orienta para o caminho do bem. Nossa consciência espiritual guarda uma relação de plena comunhão com o amor, pois é por meio dele que podemos expandir nossa alma para níveis mais elevados de espiritualidade.

Em última instância, **ser consciente** ou conscientemente espiritualizado é ser capaz de amar, sem condicionamentos ou motivos específicos. É amar a vida em sua amplitude, incluindo suas contradições e seus fatos inexplicáveis. O amor por si só nos expande na direção de um estado capaz de produzir sensações e sentimentos duradouros de felicidade. Disponho aqui algumas características que nos auxiliam a identificar o amor verdadeiro:

1. Ele não pode ser definido, apenas sentido;
2. Ele é atemporal;
3. Ele não é condicionado por pensamentos ou emoções passageiras;
4. Ele não se baseia em expectativas e por isso não nos leva a frustrações;
5. Ele se alegra em se expandir na forma de doação sincera e generosa. Ele se alegra com a alegria dos demais seres;
6. Ele apresenta aspecto circular no fluxo de energia: quanto mais amor se dá, mais se recebe. É o efeito multiplicador;
7. É possível amar a essência espiritual de cada ser, sem apreciar distorções de valor ou comportamento de seus egos.

De antemão, peço desculpas se filosofei demais nas ondas da consciência genuína e do amor verdadeiro, mas fui absolutamente sincera nas colocações que fiz, ainda que de forma resumida e simplificada. Muitos de vocês podem e devem discordar das minhas ideias, isso é saudável e alimenta as relações interpessoais baseadas no respeito mútuo, mas nunca desista de amar verdadeiramente. Se não for baseado em minhas próprias crenças, que seja pelas suas, pois a coisa mais certa de tudo é que o amor é real, essencial e o único caminho possível para evoluirmos e sermos genuinamente felizes nessa caminhada. Afinal, como na canção "Iluminados", de Ivan Lins, "o amor tem feito coisas que até mesmo Deus duvida".

Todos nós iremos morrer um dia

A maioria das pessoas evita falar ou mesmo pensar sobre a morte. Entre diversos motivos, uns o fazem por superstições que associam o assunto ao poder de atraí-lo para si próprios, outros por medo do desconhecido, e alguns agem assim por absoluta ignorância sobre o que é a vida.

Antes de qualquer reflexão sobre a morte, precisamos entender que morrer é parte do complexo ato de viver. Isso mesmo: a morte não é um evento com dia e hora marcados, ela é um processo, e o dia em que partimos é apenas o ponto-final. Vou tentar explicar melhor o que descrevo. A cada quatro meses, todas as nossas hemácias (glóbulos vermelhos) se renovam totalmente, e isso ocorre por um contínuo maciço de morte dos antigos glóbulos e nascimento de milhares de outros. O mesmo ocorre com as células da nossa pele, que se renova a cada sete anos. Nossos órgãos internos também sofrem esse ato de renovação de forma constante. Tudo está morrendo e nascendo o tempo todo em nossos corpos. Pare para pensar em você ainda criança ou adolescente e perceba que vários "vocês" já morreram fisicamente ao longo da vida: sua face mudou, seu cabelo, suas pernas, braços, pele, pelos e órgãos também. E o mais interessante desse processo de renovação material é perceber que, apesar de inúmeras mudanças físicas e estéticas, você permanece sendo um ser único, o seu eu verdadeiro ou sua consciência imaterial lhe acompanha por toda a sua existência, ora límpida ao olhar mais atento, ora encoberta sob influências socioculturais intensas e manipuladoras.

A matéria, ou melhor, nosso corpo, está morrendo um pouco a cada dia. Existem diversas formas de vida material, umas com maior e outras com menor duração; no entanto, todas um dia deixarão de existir. E o que se espera de todos é que cumpram seu papel na manutenção e melhoria do mundo. A única espécie que transforma a morte em um grande acontecimento é a nossa. Nós, o *Homo sapiens*.

Todos sabemos que a morte é inevitável, mas alimentamos a esperança de um dia poder dominá-la, ou pelo menos fazer com ela um acordo no qual possamos escolher o momento mais apropriado para que ela ocorra. Quando estamos bem, nenhum momento será adequado e, quando estamos mal, não desejamos morrer, e sim deixar de sofrer. Essa maneira de pensar típica da humanidade poderia transformar a morte em um processo interminável, dotado de "recursos jurídicos" perpétuos, dignos da pior das burocracias, nos fazendo recorrer eternamente. E aí fica a reflexão: não saber a data e a hora de partida é justamente o que nos faz aproveitar o tempo, dando sentido e propósito às nossas existências físicas.

Acredito que o maior desafio humano no que tange seu comportamento frente à morte está relacionado às suas crenças sobre o que acontece conosco após o falecimento. Existem pelo menos três grandes visões metafísicas quanto ao que acontece após a morte: a vida eterna, as reencarnações e o simples desaparecimento, no qual a morte é o fim de tudo.

Independentemente de qualquer visão religiosa, sugiro pensarmos de outro ponto de vista: se existe outra forma de vida antes e depois da nossa materialização em corpo humano, o correto seria dizer que a vida energética e não física é a verdadeira forma da nossa existência. Dessa maneira, a nossa forma física teria uma duração insignificante frente a nossa forma energética. Sob essa perspectiva, a morte seria o oposto do nascimento físico, ambos momentos passageiros dentro do mecanismo mais amplo que inclui matéria temporária e energia atemporal.

Podemos a qualquer momento tomar a decisão de construir uma forma de viver direcionada a um autoaperfeiçoamento constante.

9
OS VERDADEIROS ALICERCES DA FELICIDADE II

O problema que temos com a morte parte da nossa própria ignorância sobre ela. Antes de qualquer tentativa de lidarmos melhor com isso, precisamos admitir, com humildade, que, assim como dizia Platão, "o que ignoramos é muito maior que tudo o que sabemos".

Essa ignorância tem um componente histórico. No ocidente, até a Idade Média, tudo o que se relacionava à nossa existência espiritual era determinada pela religião de forma autoritária, inquestionável e inexplicável. Já no final da Idade Média e início do Renascimento, muitos pensadores começaram a perceber que o universo e a natureza eram bem diferentes do que a Igreja pregava e impunha como verdades inquestionáveis a todos. Esse conflito entre a Igreja e os filósofos e pensadores da época fez com que o nascimento da ciência ocidental visse o homem como uma estrutura mecânica desprovida de alma ou espírito. Essa postura foi um ato de rebeldia e protesto contra todas as mazelas produzidas pela Igreja Católica. Muitos pensadores foram mortos nas fogueiras da Inquisição por ousarem questionar as verdades absolutas preconizadas e impostas pelos chefes religiosos. Essa situação produziu uma verdadeira cisão entre o corpo e o espírito nos estudos que deram origem à ciência, que passou a ver a natureza e o próprio homem como estruturas meramente mecânicas que obedeciam a leis universais surgidas ao acaso e passíveis de serem estudadas, descobertas e controladas. A partir dessa nova visão paradigmática nos tornamos máquinas desprovidas de qualquer resquício espiritual, e essa visão influenciou todos os estudos humanos realizados a partir de então. A própria psicologia e a medicina evoluíram sobre essa base mecânica, a ponto de difundirem a ideia, tida como verdade inequívoca, de que a mente era como um órgão que existia apenas dentro do cérebro, ou seja, uma vez mortos, todos nós deixaríamos de existir. Todas as nossas lembranças, afetos, aprendizados e conhecimentos morreriam com o nosso corpo.

A sociedade ocidental, após o Renascimento e até os dias de hoje, criou e difundiu valores baseados no conceito de que a vida é somente esse intervalo curto compreendido entre o nascimento físico e sua respectiva inexistência, ou seja, sua morte. Isso justifica o nosso temor frente à morte e a nossa cegueira absoluta sobre a nossa existência espiritual, além de nosso descompromisso com os valores éticos, suas práticas e também com o autoconhecimento.

Novos ares na ciência ocidental

No final do século XIX e início do século XX, a teoria quântica nos trouxe algumas informações sobre o universo das partículas elementares (ou subatômicas) que levantaram espantos, mas também novas possibilidades na forma de entendermos o universo e a nossa própria existência. Pessoas como Louis de Broglie (físico francês), Max Planck (físico alemão), Niels Bohr (físico dinamarquês), Werner Heisenberg (físico alemão), entre tantos outros, nos apresentaram algumas características intrigantes do microcosmo, ou seja, a estrutura íntima da matéria. O conhecido experimento de dupla fenda, que além de mostrar a natureza dual do elétron (ora partícula, ora onda) relacionou a existência da forma partícula (matéria) à observação por uma forma de vida (como eu ou você). É importante destacar que a observação aqui referida não é feita a olho nu e sim por um artefato físico preparado e manipulado por um ser humano, nesse caso a forma de vida descrita no referido experimento. Quando não havia essa observação, a partícula deixava de existir e se apresentava como uma onda. E o mais interessante nesse experimento é que o estranho resultado não se devia a qualquer deficiência instrumental, tratava-se de fato da natureza comportamental do elétron, ou seja, da essência da matéria.

Voltemos à teoria do Big Bang. O universo teve início em uma única massa em estado de altíssima densidade que em um determinado momento começou a se expandir para criar tudo o que existe nele. Agora, se considerarmos a dualidade partícula/onda da teoria quântica e a interferência de um observador vivo para que a forma material do mundo exista e a alinharmos com a teoria do Big Bang, uma questão fundamental surge em nossa mente: quem surgiu primeiro, a vida ou o universo material do qual ela também faz parte? Se os preceitos físicos que conhecemos hoje são verdadeiros e aplicáveis ao momento do Big Bang, podemos inferir que a vida já existia antes do mundo físico ser criado. E foi ela que observou tudo acontecer!

Certamente a vida inteligente que viu o universo nascer em seu aspecto material não era algo parecido com o ser humano que conhecemos, no entanto podemos supor que a nossa forma de vida possui em algum nível a capacidade de interferir na materialização do mundo. E para que isso ocorra, me parece plausível pensar que a vida, seja ela em qualquer forma conhecida ou imaginável, guarda em si características em comum. Seja como for, tudo leva a crer que a vida precede a matéria e não se limita à mesma.

Considero a nossa capacidade de refletir e atribuir juízo moral às nossas reflexões e ações algo muito além do que meras funções cognitivas, e isso estaria no nosso universo mental e imaterial. Nosso cérebro produz pensamentos, mas é nossa consciência que atribui a eles valores éticos que poderão pautar em ações virtuosas. Quando você se pega julgando seus próprios pensamentos, na verdade é a sua consciência imaterial que está avaliando conceitos produzidos no cenário material e biológico do cérebro. Dessa forma a consciência seria a sua inteligência moral e imaterial. Ela pode e deve existir antes, durante e após sua condição física que observamos por todos os sentidos do corpo humano.

O que e como seria a vida inteligente que observou o universo nascer? Sinceramente não disponho de conhecimento sólido ou comprovável para responder a essa pergunta. No entanto posso imaginar que algo com características semelhantes à nossa consciência em uma dimensão muito maior, inimaginável ao meu modo de pensar atual.

E se a teoria do Big Bang estiver certa, a grande vida que observou o universo aparecer pode ser chamada de Consciência Una, da qual tudo e todos descendemos.

Estendendo um pouco mais minhas suposições, gostaria de acrescentar nessas divagações sobre a vida e a morte o conceito de Albert Einstein sobre o tempo. Einstein, em sua Teoria da Relatividade, afirma que todo o tempo sempre existiu em uma estrutura quadridimensional denominada espaço-tempo e que nessa concepção não existe um tempo absoluto, ou seja, cada um de nós pode ter percepções diversas quanto ao início e ao fim de cada experiência ou acontecimento. Acredito que é por essa razão que não nos percebemos envelhecidos, afinal somos sempre nossa consciência ou essência atemporal e só constatamos o nosso envelhecimento material frente ao espelho ou fotos antigas. E também é por essa razão que atribuímos um passar mais rápido ou mais lento ao tempo frente a situações boas e desagradáveis respectivamente.

Se nossa essência (consciência) é atemporal e capaz de produzir juízo de valores e de processar escolhas, podemos a qualquer momento tomar a decisão de construir uma forma de viver direcionada a um autoaperfeiçoamento constante. E mais: se a nossa consciência existe independentemente de nosso corpo físico, podemos inferir que somos eternos, pois sempre existimos ainda que em formas diversas, conhecidas ou ainda desconhecidas.

De forma resumida, a nossa consciência – parte não física da nossa existência – estaria fora dos limites de um espaço-tempo e seria a própria vida que precede nosso físico e que segue após nossa morte vivendo em um contínuo de existência. A vida verdadeira na forma de consciência essencial observa o corpo físico, mas não reside nele, e sim fora dele em uma forma ainda desconhecida por nós, onde não existe antes e depois. Diante dessas divagações pessoais e empíricas, vivo em paz, sem temer a morte, pois sinto que ela não existe. Aceito a morte como uma das etapas da própria vida e faço dessa crença uma grande oportunidade para me ancorar no verdadeiro sentido da existência física: o progressivo evoluir da essência humana por meio de valores éticos, atitudes genuinamente bondosas e no adquirir do conhecimento para cumprir essa nobre missão usando de sabedoria. E a felicidade? Ela é o bônus natural desse bem-sucedido processo vital.

É importante destacar que as ideias aqui apresentadas fazem parte do meu sistema de crenças cujos alicerces podem ser atribuídos à minha educação, aos valores transmitidos por minha família, ao convívio com pessoas das mais diversas visões religiosas, aos meus estudos, à minha prática médica, às minhas reflexões e também à minha intuição. Nenhuma das minhas visões apresentadas sobre a vida, a morte ou a consciência podem ser confirmadas com algum grau de certeza ou precisão, no entanto elas traduzem as minhas mais sinceras reflexões sobre esse tema.

Talvez um dia, em um futuro próximo ou distante, essas ideias possam ser validadas ou descartadas pela ciência. E quando isso acontecer ficarei feliz de qualquer jeito: seja pela confirmação das crenças que alicerçam minha vida de forma ética, seja pela revelação de novas verdades. Se ainda estiver viva na condição física, seguirei minha jornada de forma ainda mais tranquila e em paz. Se já tiver adquirido alguma outra forma não física, também ficarei feliz por ter podido contribuir para que algumas pessoas pudessem pensar sobre essa experiência fantástica que é a vida.

Confesso que torço muito para que a ciência continue sua busca por partículas, planetas, universos paralelos ou não, mas que também direcione suas atenções para a nossa dimensão espiritual, pois assim teremos a oportunidade de ajudar incontáveis pessoas a trilhar o transcendente caminho rumo ao centro, não do universo, e sim ao centro de si mesmas, onde tudo se inicia e se finda. O autoconhecimento nos faz compreender não somente nossa essência individual, mas também a essência de tudo.

Aceitar a morte como uma das etapas da jornada denominada vida é aceitar a possibilidade de realizá-la de forma significativa e, assim, viver de modo a deixar uma assinatura que possa somar na sua própria evolução espiritual e também na de tantas outras pessoas.

Espiritualidade e felicidade, ciência e fé

Sempre me questionei sobre o divórcio mal resolvido entre a ciência e a espiritualidade. Quando entrei na faculdade de medicina, percebi que a separação entre a ciência e a espiritualidade humana, além de traumática, tinha um caráter litigioso tão grande que havia uma orientação acadêmica clara para que nos limitássemos à ciência no trato com os pacientes. Confesso que isso me trazia uma certa frustração, pois me parecia óbvio que o ser humano tinha em sua essência a dimensão espiritual, assim como suas dimensões física e mental.

Durante muitos anos, segui o condicionamento acadêmico de não misturar ciência e espiritualidade, mas a sensação de estar sendo uma médica incompleta na visão mais ampla de observar o ser humano insistia em me trazer incômodos cada vez mais inquietantes. Não aguentava mais fingir que as crenças dos pacientes sobre esse assunto não eram importantes ou fundamentais para a saúde deles como um todo. Por conta disso, resolvi estudar um pouco de história na esperança de entender quando essa cisão havia ocorrido e como as consequências dela poderiam influenciar o comportamento das pessoas nos dias atuais.

Nessa busca por respostas, me deparei inicialmente com a Era Axial. Segundo o filósofo Karl Jaspers, a Era Axial foi um período compreendido entre o ano 800 e 200 a.C., que se constituiu na linha divisória mais significativa da história da humanidade no que concerne à maneira como pensamos ainda hoje. Durante esse período ocorreu uma sincronicidade na maneira de expressar o pensamento em três regiões distintas do mundo e sem que houvesse qualquer conexão entre elas: a China, a Índia e a região mediterrânea (ocidente). Essa sintonia de pensar e de expor as ideias humanas foi responsável por tornar o ser humano um ser consciente de si mesmo e de suas limitações. Os grandes pensadores dessa época defendiam que a transcendência ou salvação pessoal só poderiam ser alcançadas pelo conhecimento e a consequente reflexão advinda dele. É nessa época que os filósofos começaram e expor suas ideias em público na ânsia de conquistar seguidores para seus pensamentos em uma espécie de rede social real, bem diversa da forma digital que conhecemos hoje. Nesse contexto, diferentes correntes ideológicas surgiram na China (como o confucionismo, o taoísmo, entre outras), na Índia (como o bramanismo e o budismo) e no ocidente (como o zoroastrismo, os profetas do judaísmo, o sofismo e as filosofias de Heráclito, Platão, Aristóteles, Euclides etc).

Além da simultaneidade ideológica da Era Axial, o que me encanta nesse fenômeno humano é seu conteúdo harmônico entre razão e transcendência. De alguma forma, com o passar do tempo, as igrejas e suas variantes religiosas foram assumindo os aspectos transcendentes da vida humana e a ciência se incumbiu de pautar nosso racionalismo.

Os filósofos da Era Axial viam o Cosmos como um todo ordenado, e a vida humana deveria se mover de forma consciente para se harmonizar com esse todo. Para eles, tudo tinha um sentido e cabia ao homem, como parte desse Cosmos, dar sentido à sua própria existência, assim como todos os componentes do universo. É evidente que, nessa fase da história humana, razão e transcendência caminhavam de mãos dadas, pelo menos nas ideologias nascentes da China, Índia e ocidente. Havia sim uma prática espiritual diversificada, mas todas exaltavam a importância da razão no exercício cotidiano de suas virtudes.

Então veio a Idade Média. Na Europa, foi uma época de baixo desenvolvimento científico e tecnológico. O feudo era a base econômica e a estrutura política era baseada no sistema de suserania e vassalagem, exercida somente pelos nobres. Foi nessa época que a Igreja Católica se fortaleceu, firmou suas bases e expandiu seu poder por meio de conflitos contra diversas outras doutrinas religiosas que não estavam de acordo com sua ortodoxia vigente. A Igreja Católica da Idade Média considerava todas as doutrinas religiosas contrárias às suas como heresias e iniciou um duro combate a todas elas. Esse posicionamento acabou culminando nas Cruzadas e na Inquisição. Com o Tribunal da Santa Inquisição, a Igreja passou a investigar, julgar e condenar todos os envolvidos em movimentos heréticos. Os investigados eram torturados e os declarados culpados eram condenados à fogueira. E nesse esquema, milhares de pessoas foram mortas pela Inquisição.

Durante toda a Idade Média, a Igreja Católica fez de tudo para manter o seu poder de imposição da verdade cristã absoluta e nesse processo perseguiu e eliminou muitos cientistas e filósofos, pois se considerava a única detentora da verdade sobre todos os assuntos, incluindo a natureza e todas as suas manifestações. Essa postura fez com que a ciência fosse totalmente submissa e controlada pelo poder da Igreja. Muitos cientistas foram perseguidos, censurados, condenados à morte e até queimados por defenderem ideias incompatíveis com a doutrina cristã da época. Entre eles, cito Galileu Galilei e Giordano Bruno, ambos perseguidos por acreditarem e defenderem que era o planeta Terra que girava ao redor do Sol e não o contrário como determinava a Igreja, de acordo com a Teoria Geocêntrica.

Muitos filósofos, alguns inclusive cristãos, também foram perseguidos, torturados e mortos, entre eles: Roger Bacon, frade franciscano defensor do método científico moderno; Pietro d'Abano (além de filósofo era matemático, físico e professor de medicina em Pádua, na Itália) e René Descartes (filósofo francês considerado o pai da filosofia moderna). Ao saber da condenação de Galilei, René Descartes ateou fogo em um manuscrito, que havia lhe custado quatro anos de muito estudo e trabalho, e só não foi morto porque conseguiu asilo na Suécia, por meio da intervenção política da rainha Cristina.

Todos esses homens foram perseguidos por buscarem no conhecimento respostas para entender a vida humana e o funcionamento de toda a natureza na qual ele estava inserido.

Esse cenário sombrio e fúnebre fez com que a ciência, de forma absolutamente compreensível, se afastasse dos assuntos religiosos. Assim nascia o divórcio traumático entre ciência e espiritualidade. Talvez o grande equívoco dos cientistas, tanto da Idade Média como do início da Idade Moderna, tenha sido considerar a espiritualidade como algo limitado ao exercício de uma religião. Esse "trauma" da história humana tem consequências negativas até hoje e é responsável pela dificuldade em aceitarmos a dimensão espiritual como algo inerente à nossa condição, tal como as dimensões física e mental.

Religião, espiritualidade e fé

Acho importante distinguirmos o que é religião, espiritualidade e fé, pois observo em minha prática clínica que muitas pessoas costumam atribuir às três um mesmo conceito, o que não corresponde à verdade. Esse equívoco acaba por disseminar preconceitos, além de produzir uma visão limitada das verdadeiras dimensões humanas.

Quando uma pessoa segue uma religião, ela adota os preceitos e ritos sistematicamente organizados para se aproximar daquilo que é considerado sagrado por um determinado grupo religioso. Assim temos a religião católica, a protestante, o judaísmo, o islamismo, entre tantas outras.

A espiritualidade, por sua vez, está relacionada a uma vida transcendente, ou seja, uma vida digna baseada em valores, ações virtuosas e sabedoria que irá levar o indivíduo a um autoaperfeiçoamento durante toda a sua existência. Esse processo, além de conduzir à formação de um ser humano mais pleno, é capaz também de beneficiar outras pessoas a seguirem o mesmo caminho, seja por meio de exemplos inspiradores ou ensinamentos generosos. A espiritualidade nos encaminha à produção de um legado, aquilo que ficará ecoando no mundo e nas pessoas quando não mais estivermos fisicamente aqui.

A fé está intrinsecamente ligada à espiritualidade, pois trata-se de uma emoção ou sentimento de confiança de que viver para ser uma pessoa melhor para si mesmo e para os demais, além de valer a pena, é o objetivo maior de toda a nossa existência. A fé é uma percepção mental de que nossa dimensão espiritual é real e que ela transcende a vida física.

É importante atentarmos para essas diferenças, pois assim podemos compreender o porquê de muitas pessoas seguirem uma determinada religião e não experimentarem os bons sentimentos relacionados à fé e à espiritualidade. Por outro lado, também podemos encontrar pessoas que, mesmo sem qualquer religião específica, são capazes de exercer em plenitude sua espiritualidade por meio de gestos genuínos de empatia, generosidade e compaixão.

Enquanto as religiões são alicerçadas em valores socioculturais de um dado grupo compilados em um determinado tempo e passados de geração em geração por seus seguidores, a espiritualidade e a fé são inerentes à essência humana. Podemos constatar essa distinção de forma muito clara quando nos debruçamos sobre as ideias dos pensadores da Idade Antiga, como Sócrates, Platão, Aristóteles, Sêneca, Confúcio, Epiteto, entre outros. Ou ainda quando observamos comportamentos inspiradores de personalidades contemporâneas como Martin Luther King Jr., Mahatma Gandhi, Dalai Lama, madre Teresa de Calcutá, Albert Sabin etc. Todos eles, de forma atemporal, nos mostraram que o ser humano é bem mais do que um punhado de genes egoístas como a Teoria da Evolução de Darwin nos fez acreditar. Segundo Charles Darwin, as emoções inatas como medo e raiva foram e são cruciais para a sobrevivência do ser humano, especialmente no aspecto individual. Dessa maneira, os medrosos, raivosos e egoístas deveriam ser a maioria absoluta dos seres da nossa espécie, pois eles teriam mais chances de sobreviver e de perpetuar seus genes. No entanto não é isso que observamos ao avaliar o comportamento da maioria da população mundial. Em diversas situações cotidianas, é possível percebermos comportamentos individuais e coletivos baseados em cognições, emoções e sentimentos nobres como o amor, a fé, a compaixão, a esperança, a alegria, o perdão, a gratidão e a reverência a algo maior e transcendente. Esse leque de emoções positivas é bem mais relevante para a nossa evolução do que as emoções primitivas de medo e raiva.

O psiquiatra George E. Vaillant, da Universidade de Harvard, define a espiritualidade como o amálgama de emoções positivas que nos une aos outros seres humanos e à nossa experiência com o divino, como quer que o concebamos. Por essa visão, com a qual alinho minhas crenças pessoais, a espiritualidade e a fé desempenham importantes papéis na felicidade humana.

Emoções positivas × emoções negativas

As emoções negativas, como medo e raiva, são inatas ao ser humano e de extrema importância para sua sobrevivência. No entanto, seus efeitos são limitados ao indivíduo tanto no aspecto temporal quanto no que diz respeito à sua ascensão espiritual. Pense bem: quando sentimos raiva ou medo, essas emoções se limitam a reações momentâneas frente a uma ameaça real ou imaginária que sequestra toda a nossa atenção e nos impede de estabelecer relações saudáveis com outras pessoas durante todo o tempo que elas dominam nossa mente e nosso corpo. Não há vida inteligente, nem transcendente sob o domínio do medo e da raiva. O indivíduo que sente raiva ou medo está restrito ao seu eu mais mesquinho, ele não se expande, mantendo-se imobilizado ou em estado de contração.

As emoções positivas possuem um caráter expansivo e nos auxiliam na construção de um ser humano mais virtuoso para si mesmo e para a coletividade da qual ele faz parte. Elas aumentam a tolerância, o respeito, ampliam nossos valores morais e nosso sentimento de fraternidade com os demais.

Segundo Herbert Benson, professor de medicina de Harvard, as emoções positivas atuam no sistema nervoso autônomo, produzindo um relaxamento muito semelhante ao observado durante a meditação. Esse efeito é consequência da ativação do sistema nervoso parassimpático, que reduz o metabolismo basal, os batimentos cardíacos, a pressão arterial, a frequência respiratória e a tensão muscular. Andrew Newberg, neurocientista e professor da Universidade da Pensilvânia, por meio de estudos de ressonância magnética funcional evidenciou que a meditação é capaz de produzir um aumento significativo na atividade parassimpática no organismo e, como consequência, as pessoas que a praticam podem experimentar um nível elevado de relaxamento acompanhado de uma profunda sensação de paz e tranquilidade internas.

Richard Davidson, neuropsicólogo da Universidade de Wisconsin, foi ainda mais além ao estudar a atividade cerebral de monges tibetanos com mais de uma década dedicada à prática da meditação. Ele constatou que os monges apresentavam aumento expressivo da atividade cerebral no córtex pré-frontal esquerdo quando comparados a mais de cem voluntários ocidentais que não se envolviam em qualquer tipo de prática meditativa.

Estudos mais recentes de neuroimagem revelam que quando uma pessoa está em uma vivência de fé e positividade, ela aciona duas áreas cerebrais muito importantes: o córtex pré-frontal medial e o giro cingulado (em toda a sua extensão). Essas áreas promovem pensamentos e sentimentos de autopercepção e autocuidado capazes de produzir uma espécie de sabedoria interna que nos faz confiar que "tudo tem uma saída" ou que "tudo tem um propósito maior" em nossas vidas, ainda que não possamos entendê-lo.

Nos últimos oito anos, tenho utilizado a EMTr (estimulação magnética transcraniana repetitiva) para o tratamento de diversos transtornos do comportamento, especialmente nos casos de depressão moderada e grave que apresentam respostas insatisfatórias aos medicamentos convencionais. Na maioria desses casos, realizo a estimulação magnética da região pré-frontal esquerda, e 90% dos pacientes que têm essa área estimulada, além de apresentarem uma melhora rápida e expressiva dos sintomas depressivos, também referiram uma espécie de sentimento de confiança em si mesmo e na vida. Confesso que isso tem me levado a pensar que tal região cerebral guarda uma espécie de conexão com as emoções positivas e transcendentes.

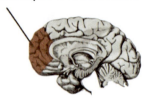 

Imagem: Áreas pré-frontal medial esquerda e giro cingulado.

Espiritualidade, fé e felicidade

A palavra fé é derivada do latim *fidis*, que significa fiar-se ou ter confiança. É a fé que nos faz confiar em nossa dimensão espiritual. A nossa espiritualidade é despertada quando nos damos conta de que somos mais que simples matéria travestida de um corpo físico e que deve existir algo maior que nos criou com um propósito determinado, assim como criou tudo no Universo dentro de um propósito ainda maior. Realizar a nossa parte nesse todo é o sentido da vida, e a felicidade real e autêntica se traduz no cumprimento dessa missão.

Dentro desse contexto, podemos dizer que não há felicidade sem espiritualidade e a fé que possa conectá-la. Para que possamos despertar nossa consciência para essa realidade precisamos ter humildade a fim de perceber nossa insignificância como uma peça isolada do universo, pois nossa força está na conexão com o todo. Pense nos 100 bilhões de neurônios que operam em conjunto as mais complexas funções cerebrais. No entanto, se um pequeno grupo de neurônios morrer por isquemia ou qualquer outro tipo de lesão, muitas conexões deixam de funcionar, e a harmonia do funcionamento cerebral é perdida.

Se você ainda não está convencido sobre a dimensão espiritual dos seres humanos, reflita sobre as colocações a seguir:

- A espiritualidade tem bases biológicas nas emoções positivas, como confiança (fé), gratidão, empatia, generosidade, entre outras.
- As emoções positivas produzem atividades cerebrais que podem ser partilhadas por todos os seres humanos, logo elas são inatas à nossa vivência.
- As coisas que são inatas à nossa existência seguem uma programação que antecede a nossa consciência perceptiva. Podemos dizer que as emoções positivas estão em nossa essência aguardando o nosso despertar para colocarmos em prática a missão de sermos humanos de verdade.
- As bases biológicas da espiritualidade e da fé nos apontam para uma verdade científica: a evolução fez de todos nós seres espirituais ao longo do tempo.
- Espiritualidade é condição, e religião é uma escolha. E uma escolha sociocultural. Dessa forma temos a necessidade de exercer a nossa espiritualidade, mas não a nossa religião. Isso fica claro na história humana. A espiritualidade como a busca de sentido à vida sempre esteve nas indagações humanas, já as religiões vieram *a posteriori* e acabaram por institucionalizar essa condição humana.
- A reabertura de diálogo entre a ciência e a espiritualidade irá favorecer a base sólida para que possamos entender de forma mais clara a nossa capacidade inata de confiar e crer no que não podemos "ver".
- É importante destacar que a falta de comprovação científica da nossa condição espiritual não é, em hipótese alguma, uma prova de sua inexistência. A ciência moderna não pode cometer o erro da Igreja Católica na Idade Média de produzir "dogmas da verdade". Ela sempre deve estar em contínua transformação e aperfeiçoamento. O espírito científico em

essência reflete o próprio desejo humano de despertar para o sentido de sua existência e o propósito dela no Cosmos. Foi esse desejo que guiou Copérnico, Galileu, Newton, Einstein, Tesla etc.

Às vezes, a ciência estaciona suas buscas por causa de equívocos humanos relacionados às emoções negativas geradoras de ganância, vaidade, poder, egoísmo e perversidade. Outras vezes, a ciência torna lenta sua caminhada por falta de instrumentos adequados ao estudo do que desconhecemos em um determinado tempo. Antes de Galileu aperfeiçoar o telescópio, as pessoas acreditavam que o sol girava em torno da Terra. Depois do surgimento desse instrumento, pudemos ver a verdade: é a Terra que gira ao redor do Sol. Antes do advento do microscópio, desconhecíamos os microrganismos. Foi somente no século XIX que descobrimos a força motora da eletricidade e as partículas subatômicas que levaram ao desenvolvimento da mecânica quântica no início do século XX. Na realidade, tudo já existia, mas éramos nós que não podíamos "enxergar" por limitações técnicas ou relacionadas ao nosso nível de consciência individual e coletiva.

Assim como a espiritualidade precede as religiões, o universo e a vida, em suas mais variadas formas, precedem a ciência.

Dicas para treinar a espiritualidade

Treinar a espiritualidade é, antes de tudo, trazer para o nosso cotidiano as boas emoções e os bons sentimentos e praticá-los em todas as nossas ações, desde as mais simples (como regar uma planta) às mais complexas (em que necessitamos fazer escolhas desafiadoras, como ajudar alguém que foi vítima de um grave acidente automobilístico). A espiritualidade está em todos os cenários da nossa vida. A seguir, algumas dicas para treinar a sua.

1. Antes de se levantar, dê sentido ao seu dia. Sugiro essas simples frases, mas fique à vontade para criar as suas próprias: "Que hoje o meu dia seja bom. Que eu possa encontrar as pessoas e oferecer o que há de melhor em mim para despertar o que há de melhor nelas".
2. Tenha sempre em seu coração a intenção de fazer o seu melhor. É verdade que às vezes não conseguimos, mas se a intenção existe e persiste, outras oportunidades surgirão.
3. Sorria para todas as pessoas que cruzarem o seu caminho, independentemente de ser correspondido. Faça por você e pelo melhor que há no outro, ainda que ele não tenha se despertado para isso.
4. Veja as dificuldades como testes para o seu crescimento espiritual. Elas também têm um propósito para a sua vida.
5. Antes de se deitar para dormir, já na sua cama, pense em momentos do seu dia e preste mais atenção naqueles que lhe deram uma sensação boa e reconfortante de ter sido um ser humano melhor.
6. Agradeça a tudo o que já se foi, ainda que não tenha sido o que você desejava ou esperava, e tudo o que virá pela frente. A gratidão genuína é uma forma de confiança em si e no universo, que somente você pode sentir.
7. Reserve entre dez e vinte minutos do seu dia para ficar em silêncio consigo mesmo:
   - Deite-se de barriga para cima, faça cinco inspirações profundas e cinco expirações pela boca, soltando a maior quantidade de ar que seja possível. Sua barriga deve ir totalmente para dentro durante essa longa expiração de ar.

- Aos poucos, tente se concentrar apenas nos batimentos do seu coração. E, lentamente, sinta seus próprios batimentos cardíacos pulsarem em todas as partes do seu corpo. Quando você se sentir como uma grande massa pulsante, imagine que essa é a pulsação do universo e que você, naquele instante, está em ressonância com ele, e se torna parte integral dele. Acredite e confie nessa sensação.

*Estar presente é simplesmente
ser no único lugar e tempo que
existe: o aqui e o agora.*

10
MEDITAR É PRECISO

"**Navegar é preciso**, viver não é preciso" é uma expressão latina atribuída ao general romano Pompeu, que ficou famosa nos versos de Fernando Pessoa. Certamente existem várias interpretações para essa frase, mas no meu entender ela sinaliza para a necessidade de, ao executarmos um ofício, como navegar, fazê-lo com esmero e exatidão. Já viver, sem sentido ou propósito, trata-se de uma mera sobrevivência. Assim, quem navega na vida enfrentando as adversidades e, ao mesmo tempo, apreciando cada etapa da viagem, já está na jornada da felicidade sem perceber. Por outro lado, quem apenas vive sem rumo ou direção limita-se à sobrevivência e encontra-se bem distante da felicidade genuína de realizar-se como um ser humano pleno.

Quando penso sobre a razão pela qual medito, posso dizer que meditar é preciso para ser e viver melhor. A maioria das pessoas já ouviu falar de meditação; no entanto, ideias preconcebidas costumam associar essa prática ao budismo e seus monges de cabeça raspada, ao isolamento da sociedade e a uma alimentação restrita. Pelo contrário, meditar é, antes de tudo, uma atividade que pode ser realizada por qualquer pessoa, a qualquer hora, em qualquer lugar e independe de se ter ou não algum credo religioso.

O grande objetivo da meditação é promover uma espécie de esvaziamento da mente. Esse processo de limpeza cerebral, além de promover um relaxamento físico e mental, contribui para o nosso autoconhecimento e para que possamos agir de forma mais assertiva e harmoniosa no nosso dia a dia.

No mundo moderno, acordamos todas as manhãs e nos dedicamos a uma rotina intensa de atividades laborativas que inundam nossa mente de pensamentos e emoções direcionados a enfrentar a "guerra" da sobrevivência.

Para que possamos viver em harmonia, deveríamos ter uma espécie de equilíbrio entre os modos "ser" e "fazer". No entanto, a maioria de nós vive no modo "fazer", envolta em rotinas estressantes sem mesmo se dar conta de quem somos de verdade. Dia após dia, reforçamos a desconexão com nossa essência e adoecemos lentamente em uma espécie de infelicidade crônica e progressiva.

O psicanalista suíço Carl G. Jung que resume muito bem o poder nocivo desse modo de viver em desalinho e seu oposto, a vida em acordo com a nossa essência: "Só aquilo que somos realmente tem o poder de nos curar".

O verbo meditar tem origem na palavra *meditare*, do latim, e seu significado é "voltar-se para o centro". E é exatamente isso o que ocorre com a prática da meditação: pouco a pouco você vai aprendendo a acessar a sua consciência genuína central, que existe independentemente de seus pensamentos, emoções ou ações.

Nossos pensamentos não traduzem o que realmente somos. Assim como nossas emoções, eles são frutos de uma intensa atividade cerebral que é programada para nos manter em segurança física e psíquica. Por essa razão, a maioria dos pensamentos produzidos por nosso cérebro estão relacionados ao medo e à insegurança. Já a nossa consciência genuína, por ser imaterial e atemporal, não teme nada e funciona como uma fonte inesgotável de serenidade, e é nela que encontramos a tão almejada paz de espírito. A consciência genuína é o grande observador de toda a atividade física e mental. Com o treinamento adequado e a prática diária, ela estará mais presente no comando da sua vida.

Meditação: prática e persistência

Existem diversas técnicas de meditação e todas elas são igualmente eficientes na produção de bem-estar físico e mental. A condição básica para começar a meditar é direcionar toda a sua atenção e concentração para um determinado foco que pode ser externo (como a chama de uma vela ou um determinado objeto) ou interno (como o entrar e sair do ar durante a sua respiração ou os batimentos cardíacos marcando a pulsação de todo o corpo).

No início você pode se valer de um facilitador individual ou em grupo, mas com o tempo verá que o processo pode ser efetuado de maneira autônoma em qualquer lugar e a qualquer hora que lhe seja conveniente.

Vou dividir com você a minha forma de meditar, mas se sinta livre para seguir qualquer outra que lhe proporcione bem-estar e paz interior.

Vamos à prática:

1. Deite-se em uma superfície confortável ou, se preferir, mantenha-se sentado. Posicione as mãos com as palmas voltadas para cima como se estivessem aptas a dar e receber boas vibrações. Feche os olhos.

2. Por alguns instantes, tente vivenciar o seu silêncio e procure se concentrar nele.
3. Logo nesse início, uma avalanche de pensamentos tentará invadir a sua mente com lembranças desagradáveis de fatos recém-ocorridos ou com tarefas e afazeres por realizar. Isso faz parte do funcionamento do cérebro em nossa condição física. Tenha paciência!
4. Concentre-se na sua respiração, sinta o ar entrar e sair de seus pulmões pelas suas narinas. Por poucos segundos, apenas observe esse movimento sem intervir nesse fluxo natural.
5. Realize então quatro fluxos respiratórios intensos da seguinte maneira: inspire profundamente pelo nariz durante cinco ou seis segundos; esse tempo será suficiente para encher totalmente seus pulmões. Então inicie uma expiração profunda pela boca tentando esvaziar totalmente seus pulmões. Esse movimento levará um pouco mais de tempo, algo em torno de oito a dez segundos, e deverá finalizar com seu abdômen o mais contraído possível em direção ao seu interior. A inspiração leva a barriga para fora em uma curva convexa e a expiração a conduz para dentro em uma curva côncava.
6. Após a realização desses quatro grandes fluxos respiratórios, relaxe totalmente o corpo sobre a superfície em que você estiver. Volte a atenção para o som das batidas do seu coração, que estarão intensas. Esqueça a respiração, deixe-a sob o controle involuntário de seu cérebro, ele sabe muito bem como fazer isso. Foque a pulsação do coração, sinta que ela se expande pelas veias e artérias como um rio que vai se dividindo em incontáveis afluentes. Sinta o sangue caminhando por todo o corpo e observe que sua cabeça, suas mãos e seus pés também pulsam no mesmo compasso, produzindo uma espécie

de vibração harmônica que resulta em uma sensação de expansão em todo o corpo.
7. Mantenha seus olhos fechados e usufrua dessa sensação mágica de não ter limites físicos rígidos.
8. Essa onda vibracional ilimitada é você de verdade, e ao acessá-la de forma diária por meio dessa prática meditativa, poderá ser o grande observador do seu "avatar" físico. Conseguirá notar suas sensações corporais como frio, calor, medo, dor, ansiedade, angústia, coceira etc. E, conforme você avançar nessa prática, também será capaz de perceber quais são os pensamentos e as reações mentais produzidas a partir dessas sensações. Essa observação gradativa lhe dará o poder de compreender os padrões básicos que regem seu cérebro e a atividade mental produzida por ele.
9. De forma perceptiva e instintiva, você verá que a sua consciência genuína, ou seu verdadeiro eu, é bem mais que seu corpo, seu cérebro e sua atividade mental. Ela é ilimitada e atemporal.

Para quem vai iniciar essa jornada de acesso e conhecimento do verdadeiro eu por meio da prática meditativa, sugiro que comece lentamente, ou seja, de dez a quinze minutos por dia. Tal qual uma pessoa que inicia seus treinos para participar de uma corrida, você deve treinar diariamente de forma gradativa para atingir seu preparo ideal. A meditação também requer vontade, disciplina e prática. Não adianta querer pular etapas e meditar por horas ou até mesmo por dias. Se você começar dessa forma, não terá a capacidade de apreciar a beleza desse processo, que tem como ponto de chegada o "centro de cada um de nós".

Ter uma postura meditativa perante a vida não se limita apenas à realização diária de quinze a vinte minutos. Você deverá praticar a atenção plena em tudo o que fizer durante o dia. Ao estar de fato presente em cada momento da sua vida, você está acionando o seu modo "ser", e isso o torna consciente a cada instante. Experimente estar presente no seu trabalho, durante suas atividades físicas, ao ouvir uma boa música, ao sorrir para as pessoas que cruzarem seu caminho, ao escovar os dentes, ao pentear seus cabelos, ao tomar seu banho, ao conversar com um amigo. Estar presente aciona o melhor de si mesmo, aquela parte tranquila e plena onde não lamentamos o passado nem tememos o futuro. Estar presente é simplesmente ser no único lugar e tempo que existe: o aqui e o agora.

A meditação: histórico e benefícios

Para quem acha que meditação é algo novo e relacionado a algum tipo de modismo passageiro, devo advertir que esse é um pensamento bastante equivocado. Os primeiros relatos sobre essa prática datam de cerca de 1.500 a.C. na Índia e de 500-600 a.C. na China. A arte de meditar guardava estreita relação com tradições religiosas e filosóficas como o hinduísmo, o taoísmo e o budismo. Existem também relatos de práticas meditativas em tradições islâmicas, cristãs e judaicas. A maioria delas envolviam atenção e concentração em símbolos, repetição de palavras consideradas sagradas e o controle da própria respiração.

No campo científico, os primeiros estudos considerados foram os realizados por Robert K. Wallace em 1970, que descreviam as respostas fisiológicas produzidas por técnicas de relaxamento físico e mental. Tendo como base e inspiração os trabalhos de Wallace e os ensinamentos da filosofia budista, Tom Kabat Zinn fundou o Centro de Mindfulness em Medicina, Saúde e Sociedade e apresentou ao mundo em 1979 o seu curso denominado "Redução de estresse baseada em mindfulness" (*Mindfulness-based Stress Reduction* – MBSR). Tratava-se de um treinamento de oito semanas desenvolvido para auxiliar as pessoas no controle de dores e outras condições clínicas crônicas para as quais a medicina tradicional não conseguia mais oferecer ajuda. A aceitação no ocidente do *mindfulness*, técnica de atenção plena, foi surpreendente, e hoje milhares de pessoas ao redor do mundo a utilizam para reduzir o excesso de estímulos externos, informações, pensamentos, cansaço e estresse.

Por sua grande aceitação, Kabat Zinn pôde realizar inúmeros estudos sobre os efeitos de sua prática meditativa na saúde de seus praticantes. Ele refere redução nos níveis da pressão sistólica (máxima) e diastólica (mínima) e também na frequência cardíaca, o que auxilia em muito as respostas clínicas dos pacientes com quadro de hipertensão arterial e insuficiência cardíaca. Muitos pesquisadores ocidentais afirmam que a prática de Zinn como tratamento auxiliar pode produzir benefícios significativos em pacientes com depressão, transtornos de ansiedade, insônia ou algum tipo de deficiência imunológica.

O trabalho de Zinn abriu as portas para que a meditação pudesse ser validada pela ciência, e hoje, de forma ainda incipiente, mas real, práticas meditativas começam a ser oferecidas em serviços de saúde pública e particular, em diversos ambientes profissionais e até mesmo em instituições de ensino superior como a Universidade de Harvard (em Massachusetts, Estados Unidos) e a escola Breathworks (em Manchester, Inglaterra).

Diversos cientistas se dedicaram também a entender a maneira pela qual as práticas meditativas podiam contribuir para a melhora das funções cognitivas, como atenção, concentração e memória, assim como para o despertar de bons sentimentos, de autoconhecimento e de autotranscedência. Dentro do contexto, cito abaixo os estudos que considero mais relevantes.

- **Gaëlle Desbordes**, neurocientista da Universidade de Harvard, em parceria com cientistas da Universidade de Northeastern em 2013, realizou um experimento em que os voluntários meditavam por oito semanas de forma regular todos os dias e em horários predeterminados. Sem que os voluntários soubessem, uma série de pesquisadores disfarçados tinham a tarefa de segui-los e observar suas ações no dia a dia. Ao final das oito semanas, Gaëlle constatou que o grupo de meditantes apresentou um comportamento mais amigável e mais praticante de atos bondosos quando comparado ao grupo que não se dedicou à meditação. Esses atos generosos foram relatados pelos observadores que flagraram os meditantes em ações como ceder o lugar aos mais velhos e grávidas no ônibus; ajudar estranhos com orientações de caminhos, para atravessar ruas ou segurar compras; trocar sorrisos espontâneos e cumprimentar desconhecidos que cruzavam seus caminhos.
- **Sara W. Lazar** em 2014 realizou uma pesquisa com praticantes de meditação pela técnica *mindfulness*. Todos eram adultos de meia-idade e foram submetidos a exames de neuroimagem cerebral que evidenciaram um aumento de massa neuronal quando comparado aos não praticantes de mesma idade e nível cognitivo. Esse foi um achado muito importante, pois a perda de neurônios que acontece com a idade guarda estreita relação com quadros clínicos de depressão, doença de Parkinson e Alzheimer.
- **Andrew Newberg**, pesquisador e neurocientista norte-americano, em 1999 submeteu monges e freiras a um exame

de neuroimagem denominado tomografia computadorizada por emissão de fóton único (SPECT cerebral), que é capaz de revelar, por meio de um marco radioativo produtor de fluorescência colorida, as áreas cerebrais que recebem maior intensidade de fluxo sanguíneo. Quanto maior o aporte sanguíneo que uma área recebe, mais atividade ela apresenta. Dessa forma, Newberg pôde observar que os voluntários em estado contemplativo apresentavam aumento de fluorescência no lobo frontal e redução no lobo parietal.

Esses achados apontam para dois fatos de extrema relevância sobre os benefícios da prática meditativa:

a) Como o lobo frontal está relacionado à nossa capacidade de atenção e concentração, a meditação é uma atividade cerebral intensa e não um mero relaxamento.

b) Como o lobo parietal funciona como um localizador do corpo no espaço, ao ter sua atividade reduzida, experimentamos uma perda da noção de individualidade, do espaço e do tempo. Dessa maneira é possível vivenciar uma sensação transcendente de ser uma fração do universo, do Todo sagrado ou de Deus, conforme quiser denominar.

Meditação × religião × mente × espiritualidade

Como pudemos observar, a meditação tem raízes históricas em tradições religiosas, no entanto a sua prática pode trazer benefícios independentemente de credo, cultura ou sistema de crenças de cada indivíduo. Os únicos pré-requisitos para a meditação é ter um engajamento com a sua prática e se permitir viver o momento presente.

Antes de continuarmos, considero importante definir o que entendo como dimensão física, mental e espiritual de cada ser humano.

Dimensão física

A dimensão física de cada ser humano é definida pelo corpo que possuímos: essa estrutura material que tem uma complexidade admirável e que nos capacita a diversas funções autônomas e fisiológicas como respiração, circulação sanguínea, digestão, equilíbrio hidroeletrolítico e manutenção da temperatura corpórea, assim como atividades conscientes como falar, escrever, andar, praticar esportes, manusear instrumentos ou máquinas. O corpo requer cuidados para se manter ativo e funcional durante toda a nossa existência física. Sem cuidados necessários, ele se torna uma "morada" pouco eficiente para as nossas dimensões mental e espiritual.

Dimensão mental

A estrutura física na qual os processos mentais são realizados para a constituição de nossas funções cognitivas é o cérebro. É no território cerebral que nossa dimensão mental atinge a plenitude, por meio do exercício de tarefas como ler, compreender um texto, reconhecer alguém e lembrar seu nome, estabelecer um diálogo coerente com pessoas diferentes, operar máquinas complexas como automóveis, saber que alguém é único e diferente de qualquer outro ser humano, realizar planos para o dia, o mês ou anos futuros, ou mesmo se sensibilizar com o sofrimento alheio.

Somos capazes de ter ideias, de elaborar raciocínios complexos e de tomar decisões que nos levam a agir em coerência com todo esse processo. Todas as funções cognitivas e executivas nascem de atividades cerebrais. Dentro do cérebro, existe um sofisticado sistema de transmissão de informações que são passadas de neurônio a neurônio numa velocidade inimaginável. Esse sistema é de natureza bioelétrica, ou seja, um neurônio libera uma substância química denominada neurotransmissor (serotonina, dopamina, ocitocina, noradrenalina, endorfina etc.), que aciona em outro neurônio um estímulo elétrico capaz de conduzir a informação a outros neurônios, num ciclo virtuoso e ultraveloz que leva as mensagens às mais diversas áreas cerebrais. São essas interconexões incalculáveis de dados que vão gerar nossos pensamentos, reflexões e ações.

Se fizermos uma analogia simples e didática entre uma lâmpada e a luz que ela emite, podemos inferir que a lâmpada é o cérebro, uma estrutura física dotada de características específicas capazes de converter energia elétrica em luz visível. Já a mente ou as funções mentais correspondem à luminosidade gerada pela transmutação de energia bioelétrica da lâmpada.

Cérebro e mente são entidades distintas, apesar de guardarem estreita relação entre si. O cérebro, como uma espécie de máquina programada para sobreviver e se satisfazer, produz uma série de reações bioelétricas que são traduzidas (ou transmutadas) em pensamentos e comportamentos destinados a esses fins.

Se pararmos para pensar um pouco, nos depararemos com a seguinte charada: algo mais deve influenciar nossa dimensão mental para que possamos ter pensamentos e ações mais alinhadas com valores éticos como pensamentos empáticos e ações altruístas e solidárias.

É aqui que entra a nossa dimensão espiritual.

Dimensão espiritual

A grande maioria da população humana não diferencia religião de espiritualidade e uma parte significativa da comunidade científica a vê como uma simples manifestação da mente. Quero deixar claro que não pretendo desrespeitar a visão de ninguém ao expor meu ponto de vista sobre essas questões. Pretendo apenas dividir com vocês o meu entendimento sobre esses assuntos, uma vez que ele alicerça a minha busca diária para me tornar um ser humano melhor. E essa busca, por si só, é a base da verdadeira felicidade.

No meu entender, a espiritualidade não é uma escolha humana e sim uma de suas dimensões, por isso mesmo ela é "condição do ser". É interessante observar que todas as religiões partem do princípio de uma força superior que é capaz de inspirar a caminhada humana rumo à melhoria pessoal e coletiva. No entanto, cada uma delas é dotada de preceitos e ritos sistematicamente organizados para que esse caminho da transcendência seja facilitado por meio de determinadas práticas. Dessa forma podemos dizer que as religiões proporcionam opções "guiadas" para exercermos a nossa espiritualidade. Na verdade, as religiões funcionam como pontes que visam facilitar ou orientar o acesso à nossa dimensão espiritual.

Já a nossa espiritualidade é responsável pelo potencial imensurável de darmos sentido à nossa existência física, cumprindo o propósito de nos transformar em seres mais éticos, amorosos e sábios. Imagine uma fonte com água absolutamente pura e inesgotável. Nossa espiritualidade seria assim, uma espécie de fonte dos melhores sentimentos, escolhas e ações. É por isso que nos alegramos com finais felizes, com as vidas que são salvas durante uma tragédia ou com o simples observar da natureza. De forma instintiva sabemos que as coisas deveriam ser justas, gentis e amorosas em essência. O fato de bebês entre sete e oito meses demonstrarem em suas faces aflição e tristeza ao verem uma outra criança chorar após um tombo, por exemplo, revela que deve existir uma espécie de programação para o bem que circula desde muito cedo na maioria das mentes humanas. Essa programação não poderia surgir pela atividade cerebral, pois ela seria meramente voltada para a sobrevivência e satisfação individuais. Acredito que essa programação é a própria essência do nosso ser, nossa consciência genuína ou a nossa própria espiritualidade. Conforme vamos crescendo e aderindo aos valores do mundo físico, vamos pouco a pouco nos desconectando dessa fonte pura e nos esquecemos, em parte ou até mesmo completamente, de nossa verdadeira origem.

Por tudo isso, julgo impossível a espiritualidade ser apenas uma manifestação da mente, pois se assim o fosse nossos valores essenciais ou intuitivos seriam bem mais primitivos. Acredito que somos seres espirituais de forma constante, mas por uma série de propósitos universais experimentamos uma vida material na forma física que conhecemos como corpo humano.

Outro aspecto que reforça essa minha visão é o fato de que por vezes nos percebemos observando nossos próprios pensamentos e comportamentos. Quantas vezes você já se pegou em conflito com um pensamento estranho à sua essência, como se ele não fosse de fato seu? Esse sentimento de estranheza revela que naquele momento a mente está totalmente sob o comando do cérebro e desconectado da sua essência espiritual.

Nossa dimensão espiritual "sempre foi e sempre será". Ela é parte de uma hierarquia que transcende nosso entendimento científico atual e é capaz de influenciar positivamente nossa mente e nosso corpo. Quando, por motivos espontâneos, reestabelecemos contato com essa essência valorosa, sentimos uma espécie de êxtase transcendental. Muitas pessoas já descreveram situações desse tipo em momentos de descobertas ou percepções inesperadas. Albert Einstein e Nikola Tesla por mais de uma vez fizeram referência a momentos intuitivos em que as suas ideias se alinharam de tal forma que eles tiveram certeza de estarem diante de uma verdade que lhes foi "revelada".

Uma outra forma de acessarmos essa dimensão espiritual é a prática da meditação. Quando a iniciamos, aprendemos a relaxar o corpo e gradativamente nos tornamos capazes de aquietar nossa mente. E se quisermos seguir mais adiante na prática, chegaremos ao ponto de sermos capazes de observar nosso próprio corpo, nossos pensamentos, emoções, sentimentos e ações. E um dia perceberemos que além de tudo isso ainda existe uma vibração sutil que parece se mover suavemente para os lados. Essa sutileza é você, independentemente do tempo e do espaço.

Considerações finais sobre meditação

Segundo Daniel Goleman e Richard Davidson, autores de diversos livros sobre meditação, a prática meditativa é capaz de promover uma mudança comportamental consistente e até permanente na vida de seus praticantes, algo equiparável ao aperfeiçoamento da natureza humana.

A meu ver, o aspecto mais valioso da meditação é o autoconhecimento que ela é capaz de produzir. De forma gradativa, é possível entender como o corpo e a mente reagem aos acontecimentos, e com esse entendimento podemos nos abrir para novas interpretações e atitudes frente a tudo o que ocorre e que ainda acontecerá em nossas vidas. Podemos apostar em perspectivas mais positivas e alinhadas com um estado de bem-estar duradouro, menos dependente das pessoas e dos acontecimentos ao redor.

Saber de fato quem nós somos e para o que nos destinamos é assumir o verdadeiro poder sobre a nossa caminhada existencial. E a verdadeira felicidade é o bônus que experienciamos nesse processo.

E por fim, acredite, meditar é preciso!

Quanto mais nos aproximarmos da sabedoria, mais entramos em sincronia com o universo e mais plenos e felizes nos sentimos.

11
HORA DE REVER NOSSOS CONCEITOS

Se olharmos, ainda que de forma sucinta, a história da humanidade, nos depararemos de modo indubitável com dois aspectos relacionados à felicidade. O primeiro deles diz respeito ao fato de que todo ser humano almeja ser feliz, seja qual for a classe social, faixa etária, religiosidade, intelectualidade ou sexualidade. De alguma maneira, a busca da felicidade parece ser algo inerente à nossa espécie e, por isso mesmo, a caminhada na direção dela se mostra inexorável para cada um de nós.

O segundo aspecto aponta para a subjetividade humana no entendimento do que é ser ou ter uma vida feliz. Apesar de todo ser humano querer ser feliz, grande parte confunde a felicidade propriamente dita e verdadeira com os meios culturalmente difundidos para a sua obtenção. Uma parcela significativa da população mundial acredita de fato que os "meios" como sucesso, riqueza, diversão, poder e status são a própria felicidade. Essa visão equivocada faz com que milhares de pessoas gastem grande parte de suas existências em caminhos que, na verdade, só os distanciam cada vez mais de uma vida plena e com níveis elevados de felicidade real e duradoura.

O que realmente importa não são as coisas externas, essas só criam uma densa cortina de fumaça que nos impede de enxergar o verdadeiro caminho para ser feliz em si mesmo. O que de fato vale são nossas ações diárias rumo à lapidação existencial, ou seja, sermos pessoas melhores a cada dia, para nós mesmos e para tudo e todos ao nosso redor.

A felicidade não se trata de um mero substantivo denominador de um estado momentâneo ou passageiro, e sim uma ação verbal que paulatinamente nos conduz à inevitável jornada de elevação da consciência humana.

Tenho convicção de que a epidemia de infelicidade que assola nossos tempos guarda estreita relação com os valores e práticas que fundamentam nossa sociedade. De alguma forma, ainda que inconscientemente, estamos contribuindo para a promoção de uma cultura na qual a felicidade real e duradoura não encontra um solo fértil para florescer.

A cultura dos tempos modernos

A filosofia sobre a qual se alicerça a cultura dos nossos tempos é baseada em três princípios básicos: o individualismo, o relativismo e o instrumentalismo.

De forma simples, descrevo esses três princípios da seguinte maneira:

1. O **individualismo** prega a busca do melhor tipo de vida, aquele que abrange o autodesenvolvimento, a autorrealização e a autossatisfação. De acordo com essa concepção, o indivíduo tem a obrigação moral de buscar sua felicidade em detrimento de qualquer outra obrigação ou consideração para com os demais.
2. Segundo o **relativismo**, todas as escolhas são igualmente importantes, pois não há um padrão de valor objetivo ou absoluto que nos permita estabelecer uma hierarquia coletiva

de valores. Assim, qualquer ação que leva o indivíduo a atingir a autossatisfação é válida e não deve ser questionada no contexto social. Tudo é relativo, e deve ser considerado sempre o ponto de vista do indivíduo e não do coletivo.
3. O **instrumentalismo** afirma que o valor de qualquer coisa fora de nós mesmos é apenas um valor instrumental, ou seja, o valor das pessoas e das coisas se resume ao que elas podem nos servir.

Se avaliarmos bem, perceberemos que tudo está implícito no primeiro e principal componente da cultura moderna: o individualismo. E ele revela que o principal objetivo do ser humano nesse contexto social é a realização e a satisfação pessoal. Dessa forma as obrigações que deveríamos ter com as demais pessoas são meramente secundárias, prevalecendo a obrigação de desfrutarmos a vida da maneira que escolhermos. Sob essa ótica, os outros se transformam em meros instrumentos ou meios para atingirmos o fim maior de autossatisfação.

Precisamos entender que o objetivo maior da ideologia moderna era preservar a qualquer custo a liberdade individual. No entanto, essa ênfase sobre a liberdade acabou por criar a grande contradição de nossos tempos: como estabelecer valores morais e éticos em um mundo que prioriza de maneira exacerbada as escolhas individuais?

A modernidade foi responsável por uma série de mudanças na nossa forma de ver e sentir o mundo. A revolução tecnológica inundou as nossas vidas com conforto e praticidades cotidianas. Dispomos de uma imensa variedade de coisas que facilitam nosso dia a dia, no entanto, nosso tempo para o cultivo de relações verdadeiramente afetivas tem se mostrado cada vez mais escasso. O convívio reconfortante com a família, os amigos, a natureza e os afetos mais preciosos parecem ser coisas do passado, algo lembrado com nostalgia, mas avaliado como utopia nos dias atuais. O desenvolvimento econômico nos tempos modernos fundamenta-se na crença cega e inquestionável de que não podemos parar nunca: há sempre o que conquistar, possuir, descobrir, experimentar. Nada, nem ninguém, é capaz de nos satisfazer plenamente, pois há sempre novas possibilidades a serem testadas na conquista da tão propagada e estimulada realização pessoal.

A realização proposta por nossa sociedade só pode ser de aspecto material, pois afetos verdadeiros não podem ser adquiridos nem substituídos na velocidade que nossos tempos preconizam.

A cultura do individualismo e o desejo de conseguir bem-estar material a qualquer custo têm provocado a erosão dos laços afetivos dentro da nossa sociedade. Com isso, virtudes como a honestidade, a reciprocidade e a responsabilidade com os demais caem em total descrédito. E assim, repletos de conforto e tecnologia, acabamos por nos tornar cada vez mais sozinhos e menos comprometidos com nossos semelhantes. E pior: dentro desse isolamento não buscamos o conhecimento e tampouco o autoconhecimento, fatores essenciais ao entendimento e à construção da legítima felicidade humana. Nos limitamos apenas à infrutífera distração material produzida por objetos e pessoas destinados a nos oferecer o mais puro entretenimento dispersivo. Sem nos darmos conta, nos desconectamos das relações interpessoais mais significativas para nosso amadurecimento, aprendizagem e também do encontro e do aperfeiçoamento com o nosso verdadeiro eu e sua essência espiritual.

Os elevados níveis de violência, desesperança, ansiedade, depressão e dependências diversas constituem uma resposta lógica e previsível à cultura moderna e seus limitados alicerces filosóficos.

A filosofia da felicidade

Diversas áreas do conhecimento humano se dedicaram ao estudo da felicidade: a filosofia, as religiões, a psicologia e mais recentemente a própria medicina. E isso ocorreu pelo fato de o ser humano sempre ter buscado a felicidade. Não é por outra razão que incontáveis filósofos se dispuseram a estudá-la em profundidade, como Sócrates, Platão, Aristóteles, Epicuro, Epiteto, Nietzsche, Sêneca, Bertrand Russell, entre tantos outros. Todos deixaram um legado filosófico que ecoa até os dias de hoje. Mas nenhum filósofo foi tão preciso em suas colocações sobre a felicidade verdadeira como Epiteto. Seu clássico manual denominado *A arte de viver* é a prova material e atemporal de suas ideias e crenças sobre esse tema que representa uma espécie de busca intrínseca da humanidade.

Epiteto nasceu escravo por volta do ano 55 d.C., no Império Romano. Desde muito cedo, apresentou um talento cognitivo incomum, o que fez com que seu mestre, Epafrodito, o enviasse para Roma para que ele pudesse estudar com o então renomado professor Caio Musônio Rufo. Com Rufo, Epiteto pôde edificar seu espírito igualitário, uma vez que Rufo era defensor ardoroso de que mulheres e homens tivessem tanto educação quanto liberdade sexual equiparadas. Epiteto foi o aluno mais destacado de Rufo e esse fato foi determinante para que ele fosse libertado da escravidão.

Epiteto viveu em Roma até 94 d.C., ano em que foi expulso de lá pelo imperador Domiciano, que não via com bons olhos a crescente influência que Epiteto e outros filósofos estoicos exerciam sobre o comportamento da população.

Exilado na Grécia, Epiteto viveu até o final de seus dias divulgando suas ideias sobre como viver com maior dignidade e tranquilidade interior. Sua postura humilde e serena estimulou muitos alunos e admiradores a buscarem o conhecimento e a sabedoria como instrumento essenciais para o exercício diário da felicidade verdadeira. Além de divulgar suas sábias reflexões sobre o bem viver, Epiteto praticava o que pregava, e por isso tornou-se um exemplo vivo e inquestionável de sua escola filosófica. Vivia de forma modesta e não tinha qualquer atração por fama, fortuna ou poder.

A filosofia de Epiteto tinha como principal objetivo auxiliar as pessoas no enfrentamento dos desafios inevitáveis do viver, como perdas materiais, afetivas, decepções, mágoas ou doenças. Seus ensinamentos voltados para a transcendência e a evolução ética do ser humano apresentam um estilo próprio embasado na simplicidade, na ausência de devoções religiosas, mistificações subjetivas ou sentimentalismos infundados. Seus conceitos e práticas preconizam a liberdade e a paz interior como ingredientes essenciais para a construção de um modo de viver no qual o sentido consiste no autoconhecimento e no autoaperfeiçoamento, e cujo propósito se realiza no compartilhamento do melhor de cada um com todos os demais seres da natureza.

Epiteto e a felicidade

Para Epiteto, uma vida feliz é praticamente sinônimo de uma vida virtuosa. Dentro desse contexto, a realização pessoal e a felicidade são consequências naturais de princípios e atitudes éticas. De forma contrária aos pensadores de seu tempo, que se dedicavam ao entendimento do mundo material como missão vital, Epiteto via na caminhada rumo à excelência moral o verdadeiro sentido da vida. O mais cativante em suas colocações filosóficas é sua percepção generosa quanto às limitações humanas. Em vez de destacar a perfeição moral como objetivo de nossa experiência terrena, Epiteto enfatizava como essencial o nosso progresso, ainda que lento e gradual, como o verdadeiro sentido desse processo existencial. De maneira empática e generosa, Epiteto compreende nossas fragilidades e dificuldades na jornada da vida, prevendo nossos erros e desvios éticos e morais nessa árdua luta por princípios mais elevados, e por isso nos incentiva a progredir sempre, em etapas que, pouco a pouco, podem nos elevar aos mais nobres valores e práticas equivalentes. Sua proposta não se resume a uma lista de preceitos, regras ou rituais; muito pelo contrário, ela nos propõe uma forma de viver em que pensamentos e ações se harmonizam com o todo, ou seja, a natureza em sua amplitude universal. E o mais importante, ao meu ver, é que esse alinhamento ético proposto por Epiteto não deve ocorrer em função de recompensas, favorecimentos divinos ou até mesmo por conta da vaidade advinda do reconhecimento dos outros ao redor. Esse alinhamento ético e virtuoso deve ser focado única e exclusivamente na busca da verdadeira paz interior que podemos sentir no exercício mais puro da nossa condição humana. Somente nesse território de serenidade interna é possível o florescer da felicidade e da liberdade duradouras. Desse jeito, seríamos felizes por cumprir nosso papel de seres humanos de verdade e livres por não dependermos de nada além de nós mesmos para seguir na execução dessa missão existencial.

    A genialidade dos preceitos filosóficos de Epiteto está em sua proposta simples e cotidiana de construção e aperfeiçoamento da nossa própria essência de seres humanos.

    A escola filosófica de Epiteto é fundamentada em diversos princípios, dentre eles destaco aqui os que considero o "coração" de seu legado:

1. A vida humana é regida por leis universais

Para Epiteto, a vida se trata de um todo ordenado que segue as leis da natureza. Como parte integrante desse todo organizado devemos estabelecer com ele uma atitude de fidelidade, ou seja, de compreender e executar o papel que nos cabe nesse contexto.

Exemplos simples dessa relação de harmonia com a natureza podem ser facilmente observados: veja o sol, a lua, as árvores, os pássaros e se pergunte a que cada um deles se destina, o que a natureza espera deles? As respostas são simples, como simples também deve ser nosso entendimento: o sol tem a função de iluminar e aquecer nosso planeta para que a vida se manifeste e se mantenha, a lua ilumina a escuridão da noite, as árvores produzem o oxigênio que respiramos, os pássaros voam e carregam consigo sementes que irão germinar em outros locais. Tudo tem um sentido de ser, perceptível ou não por nós, e nos alinharmos harmonicamente ao todo é o sentido e o propósito de cada coisa que existe no universo.

E qual seria o destino do homem nesse universo ordenado? Segundo Epiteto, o homem cumpre sua missão quando assume seu papel de andarilho na estrada evolutiva que se inicia na ignorância e tem como destino a sabedoria. Quanto mais nos aproximarmos da sabedoria, mais entramos em sincronia com o universo e mais plenos e felizes nos sentimos.

2. "Felicidade é verbo"

O filósofo Epiteto deixou muito claro que felicidade não é uma coisa (substantivo) que podemos comprar, ganhar ou receber de presente das mãos de alguém. A felicidade é uma prática diária e paulatina que nos conduz à sabedoria, e por meio dela nos conectamos ao universo.

A felicidade verdadeira e duradoura é nosso destino e está embasada na própria realização da condição humana. Para sermos humanos de fato e consequentemente cumprirmos nosso papel no universo, precisamos basear nossa vivência em princípios valorosos, na prática persistente desses valores e no conhecimento rumo à sabedoria.

Os princípios valorosos podem ser condensados em respeito, justiça, bondade e solidariedade. Para Epiteto, eram essas forças que regiam o universo por meio da vontade divina ou suprema. A prática persistente desses valores universais nos conduz a uma vida virtuosa, uma vez que nos alinhamos com a vontade das leis divinas que organizam tudo o que existe.

O conhecimento baseado no entendimento racional das leis que regem o universo e das vidas contidas nele é o grande mestre a nos guiar para que alcancemos de fato a realização da condição humana. É por meio do conhecimento que percebemos a necessidade humana de dar sentido e propósito à existência de tal maneira que a vida de cada um possa produzir uma assinatura universal capaz de identificá-lo e de atestar sua condição essencial de ser um humano de verdade.

Dentro desse contexto de construção e realização da condição humana, a felicidade só pode ser encontrada dentro de cada ser humano e é sempre independente de condições externas. Nunca devemos nos iludir por prazeres imediatos, riqueza material, discursos demagogos, títulos ou honrarias sociais. Tudo isso, se tomado como verdades inquestionáveis, só teria a função de conduzir alguém a duvidar de si mesmo, de sua origem, do seu propósito e da sua real condição humana. Todos estamos aqui para sermos a melhor versão de nós mesmos, e a verdadeira felicidade reside na própria execução dessa tarefa.

3. O mal afasta a felicidade

Para Epiteto, o mal e a maldade não são elementos essenciais no mundo, eles são um subproduto da ignorância humana e surgem quando perdemos o foco de nossa verdadeira meta vital: nossa inexorável evolução espiritual. Toda vez que nos realinhamos com o melhor de nossa essência por meio de pensamentos, palavras e ações, nos afastamos de qualquer maldade em nosso caminho.

O mal como prática nos desconecta da energia primordial do universo e paralisa nossa ascensão evolutiva.

4. Aceite as regras da vida

Se entendermos e aceitarmos que a natureza e as vidas contidas nela são governadas por leis que não conseguimos mudar, poderemos, de fato, alcançar o bem-estar ou a felicidade duradoura. As pessoas morrem, e isso é uma das leis da vida, a lei da mortalidade. Desejar que isso não ocorra é algo fora de qualquer controle que possamos exercer, assim como querer que as pessoas sejam perfeitas, sem qualquer defeito também.

Aceitar os limites e as inevitabilidades da vida e tirar deles os melhores ensinamentos é a única garantia para seguirmos firmes em nosso progresso de crescimento espiritual, propósito maior de nossa existência.

Dentro dessa visão, podemos também entender o que é a verdadeira liberdade. É consenso entre a maioria das pessoas que liberdade é o direito de fazer tudo o que se quer ou deseja.

No entanto, isso é um grande equívoco: a liberdade humana real surge com a compreensão dos próprios limites individuais frente aos limites perfeitamente estabelecidos pelas leis universais. Somente o alinhamento dos nossos desejos com a vontade da natureza nos possibilita alcançar a verdadeira liberdade e felicidade nessa existência terrena.

Se não podemos determinar os acontecimentos vitais, podemos e devemos alinhar nossas reações frente a eles de acordo com as leis do Universo. Somente assim enfrentaremos os desafios e as dificuldades da vida sem perder a paz interior.

5. O tempo e a bondade

Quando se trata de nossa progressão ética e espiritual, todo o tempo que temos deve ser visto como "agora", pois sempre podemos e devemos fazer o nosso melhor na situação em que estamos experimentando.

Se o indivíduo tem dificuldade de estabelecer um projeto próprio de princípios ou valores, ele deve lançar mão de uma verdade epitetiana: o bem é sempre o bem e não se deve reprimir qualquer impulso de bondade.

Para Epiteto, o bem, ou a bondade, são verdadeiras manifestações do amor. Quando você realiza um gesto de solidariedade de forma instintiva ao socorrer um desconhecido que caiu na rua, por exemplo, você está praticando o mais puro amor nesse simples ato de bondade. O mesmo ocorre quando você sorri para as pessoas que cruzam seu caminho todos os dias, pois com um simples sorriso, uma grande quantidade de bem e de bondade é transmitido ao outro. E dessa forma, de pequenos a grandes gestos de bondade, vamos criando hábitos amorosos, construindo virtudes e assim, ascendendo em nosso aperfeiçoamento.

6. Use seus talentos para desempenhar seu papel

Para Epiteto, a vida era uma grande peça de teatro criada e dirigida pelo Todo, e coube a esse Todo designar o papel de cada um nessa grande encenação. Uns serão médicos, políticos, religiosos, celebridades, ricos, pobres ou cidadãos comuns. No entanto, todos devemos desempenhar nosso papel da melhor maneira possível. Os dons e os talentos que nos são dados, desde muito cedo, podem indicar os papéis a que somos destinados e nos quais exerceremos grande parte do nosso poder de crescimento pessoal e também de soma com todos e tudo ao nosso redor. Se alguém tem o dom da fala, deve ensinar. Se tem o talento da escrita, deve escrever. Se tem o dom de cuidar, cuide; de organizar, organize; de proteger, proteja; e deve manter sempre seu foco, suas vontades e intenções nessa direção.

Filosofia da felicidade × filosofia dos tempos modernos

A filosofia da felicidade pode ser sintetizada pelo autoaperfeiçoamento paulatino e constante alicerçado em valores, virtudes e sabedoria. Ao proceder dessa maneira, nos conectamos com a Fonte Energética Essencial, que muitos denominam Fonte Divina da Criação, e nos alinhamos com as leis fundamentais do universo, e a consequência desse alinhamento é a própria experiência da felicidade do verdadeiro ser, uma vez que Epiteto considerava a vida física uma manifestação fracionada e temporária da própria Energia Essencial Criadora.

Por outro lado, a filosofia dos nossos tempos tem no individualismo seu maior sustentáculo. Segundo esse código, qualquer indivíduo tem a obrigação moral de buscar a felicidade sem qualquer compromisso ou consideração com os demais seres. Essa busca pode ocorrer por qualquer caminho, pois tudo é relativo e deve ser considerado sempre do ponto de vista do indivíduo e não da comunidade a qual ele pertence. Nesse cenário, o valor de qualquer coisa se resume à serventia que algo ou alguém pode ter para o próprio indivíduo.

É óbvio que essas duas visões filosóficas são diametralmente opostas. Enquanto os preceitos de Epiteto pregam uma revolução baseada no amor e no aperfeiçoamento espiritual por meio da sincronicidade com as leis do universo, a cultura dos tempos modernos prega a revolução do ego alicerçada nos prazeres imediatos, na liberdade irresponsável e na desconexão com qualquer espiritualidade transcendente. Os defensores ardorosos da filosofia moderna consideram a espiritualidade uma espécie de "droga" utilizada pelo sistema para limitar a liberdade do indivíduo e consequentemente suas opções de realização material. Muitos deles veem a natureza como um lugar hostil, onde os mais fortes têm direito ao poder e a seus privilégios. Nesse contexto, as escolhas são feitas baseadas somente em fatores externos, que são culturalmente estimulados e que acabam por pautar o estilo de vida da maioria da população que busca alcançar o status de "vencedores" na selva competitiva e cruel que é a do nosso planeta.

Nessa limitada visão, todos nós somos inimigos em potencial e não pertencemos a um todo que constitui a própria natureza ou o universo. E nessa concepção é mais fácil entender (mas não necessariamente aceitar) o porquê dos maus tratos dos humanos com os outros animais, com a nossa flora e com tudo o que existe no planeta. O ser humano moderno não se vê como uma fração quase insignificante do Todo; de forma vaidosa e arrogante, ele se julga um ser superior aos demais e com o poder de comandar tudo ao seu redor. E, dentro dessa ilusão, caminha a passos largos para a infelicidade existencial.

Senso de justiça, compaixão e evolução

A própria Teoria da Evolução das Espécies sofreu forte influência cultural dos novos tempos. Ela se baseia na competitividade e na sobrevivência dos mais aptos. Como podemos entender que características de bondade e altruísmo tenham se perpetuado e evoluído em meio à violência do mundo natural? Teoricamente os organismos "bonzinhos" deveriam ter ficado pelo caminho nessa corrida biológica, no entanto, ao longo dessas últimas décadas, os cientistas começaram a desvendar as vantagens evolutivas das "criaturas do bem".

Existem algumas teorias que tentam explicar o senso de justiça mais apurado em determinados animais e em especial, nos humanos. Entre elas, gostaria de destacar a teoria da mente (fundamentada em estudos psicológicos) e a teoria do cérebro social (desenvolvida com base em estudos recentes da neurociência).

A teoria da mente se constitui basicamente na capacidade de um ser biológico (humano ou não) em imaginar que outros seres possam ter uma vida mental similar à dele. Essa teoria pode ser facilmente compreendida quando nos colocamos no lugar de outras pessoas para inferir como elas devem estar se sentindo. Existe um ditado que diz o seguinte: "Antes de julgar alguém, calce seus sapatos e caminhe com eles por uma milha". Em outras palavras, isso quer dizer: antes de julgar outrem, coloque-se no lugar dele, tente imaginar o que ele sente, o que pensa e apenas depois disso, aja. Essa é a teoria da mente em plena ação.

Já a teoria do cérebro social pôde se desenvolver e avançar de forma significativa nas últimas décadas graças à utilização sistemática, por psicólogos e neurocientistas, do exame denominado ressonância magnética funcional (RMF). Esse exame de neuroimagem é capaz de gerar um retrato extremamente detalhado das estruturas cerebrais. Além disso, ele pode produzir o equivalente a um vídeo que nos mostra o funcionamento de partes específicas do cérebro quando ativadas durante algumas situações. Por exemplo, quando ouvimos o choro de uma pessoa que amamos, o centro das emoções entra em "ebulição".

Com base nesses estudos, os cientistas puderam começar a responder uma série de perguntas sobre o comportamento social das pessoas. Dentre essas questões, destaco algumas: existe de fato algum mecanismo mental na espécie humana responsável por nossos atos generosos ou solidários? Caso esse mecanismo exista, ele demonstra que a pessoa nasce com ele "ativado" ou "desativado"? Esse processo de ligar/desligar é algo que aprendemos com o convívio sociocultural ou já trazemos conosco?

Com a utilização da ressonância magnética funcional, muitos pesquisadores do comportamento humano passaram a utilizar o termo **cérebro social**. Ele pode ser definido como o somatório de todos os mecanismos neurais (materiais e funcionais) envolvidos na orquestração de nossas intenções sociais. Assim, ele é responsável pelos pensamentos e sentimentos que apresentamos quando nos relacionamos com outras pessoas.

O cérebro social nos possibilita a percepção do "eu sei como você se sente". E isso ficou muito claro em um estudo com casais de namorados realizado da seguinte forma: na primeira parte do experimento, um de cada vez foi colocado no aparelho de ressonância magnética funcional e submetido a sensações dolorosas classificadas como leves. Antes de receber o estímulo doloroso, o voluntário era avisado, e o simples aviso desencadeou a ativação de alguns circuitos cerebrais, especialmente daqueles ligados ao medo e à ansiedade. Ocorria uma espécie de antecipação à sensação dolorosa.

Na segunda parte, o voluntário era avisado de que, a partir daquele momento, somente o(a) parceiro(a) receberia uma descarga dolorosa. O resultado foi surpreendente. Mesmo sabendo que não sentiria mais dor, o voluntário passou a ativar as mesmas áreas cerebrais ao ser avisado de que seu par sofreria. Isso aponta para a existência de uma "ponte neural" (conexão cérebro-cérebro) capaz de promover alterações no funcionamento cerebral e consequentemente reações fisiológicas nas pessoas com as quais interagimos.

Alguns animais também apresentam certo nível de conexão mental. Eles conseguem, até determinado ponto, sincronizar-se com os sentimentos alheios e entender suas intenções. No entanto, nenhum ser tem esse sistema cerebral tão aprimorado quanto o ser humano. Os cientistas acreditam que é justamente por meio dessa conexão cérebro a cérebro estabelecida em nossos relacionamentos interpessoais que a moralidade ou a ética é aflorada.

Ambas as teorias apontam para a mesma direção: somos seres sociais e de alguma forma estamos destinados a estabelecer relações com as pessoas ao nosso redor. Se nosso destino é a conexão com o "outro", fica claro que o senso de justiça e compaixão são instrumentos poderosos para que relações amigáveis e saudáveis se desenvolvam.

De alguma maneira, o senso moral e ético que os humanos apresentam parece confirmar o velho ditado "a união faz a força". E quando essa união se estabelece por meio de sentimentos altruístas e comportamentos éticos, a espécie e sua perpetuação ganham um reforço significativo na corrida biológica da evolução.

A cultura nisso tudo

É óbvio que não podemos atribuir somente à nossa constituição neuronal e à evolução biológica a nossa capacidade de solidariedade e de compaixão. A cultura à qual somos expostos em determinada sociedade também nos influencia em diversos aspectos do nosso comportamento.

É fundamental não confundir a nossa capacidade de distinguir o certo do errado com a de tomar as atitudes corretas em vez das erradas. Uma coisa é saber o que deve ser feito, outra é agir de acordo com esse preceito.

Somos dotados não somente do senso de moralidade, mas também de inteligência estratégica. Dessa forma, podemos, infelizmente, usar nossa capacidade racional para "tapear" a moral interna e com isso tirar proveito de determinadas situações. Poderíamos denominar essa habilidade pela expressão "esperteza humana" e atribuir a ela uma série de malfeitos sociais, como a corrupção.

As guerras talvez sejam o exemplo mais cruel dessa habilidade dos seres humanos de driblar o senso moral. Para que um grupo enfrente o outro, é necessária uma causa aparentemente justa ou moralmente correta. Como não existe guerra moral, sempre haverá uma liderança habilidosa em manipular mentalmente as diferenças culturais de forma a colocar uns contra os outros. A manipulação moral acaba por despertar os instintos humanos relacionados à luta pela sobrevivência. Monta-se assim, o cenário perfeito para uma guerra politicamente correta e moralmente maquiada. Todas as guerras são assim: injustificáveis frente ao nosso senso de justiça e generosidade. O que ocorre de fato é a sórdida manipulação moral por parte de uma pequena minoria humana que utiliza o poder para esse nefasto fim.

A cultura influencia diretamente os valores morais de uma sociedade e cria também os parâmetros que estabelecem o status hierárquico de cada indivíduo dentro desse contexto. Sem dúvida alguma, a posse de bens materiais sempre foi algo valorizado nas vitrines sociais. Mas já existiram épocas em que o status intelectual e a retidão de caráter eram características bastante valorizadas entre os membros da sociedade.

O "saber" e o "ser" já foram bens de alto valor moral e social. Hoje vivemos os tempos do "ter", em que não importa o que uma pessoa pense, saiba ou faça, mas sim que ela tenha dinheiro (de preferência muito) para pagar por sua ignorância e suas falhas de caráter.

Nesse cenário propício, surge a cultura da esperteza. Temos que ser ricos, etiquetados, sarados, descolados e muito invejados. O pior dessa cultura é que seus membros sociais não se contentam apenas com o "ter", é necessário exibir e ostentar todos os seus bens. Dessa forma ninguém esquece, nem sequer por um minuto, quem são os donos da festa.

Reflexões finais

Ao longo de todo esse livro fiz questão de avaliar a felicidade sob os aspectos físico, mental e espiritual. E, para esse fim, utilizei referências científicas (psicológicas e médicas) e filosóficas que pudessem suscitar boas e coerentes reflexões sobre o que de fato é a felicidade humana.

Fiz questão de destacar também a influência cultural dos nossos tempos sobre o que entendemos como felicidade. O materialismo e o individualismo preconizam uma série de comportamentos que, em tese, teriam a premissa de nos ofertar a tão almejada felicidade. No entanto, os mais recentes estudos científicos ao redor do mundo revelam que a maioria absoluta dessas promessas são enganosas. Além de não nos garantir uma vida feliz, elas podem nos conduzir a uma vida desprovida de sentido pessoal e/ou de propósito coletivo. Entre essas falsas premissas, podemos destacar as seguintes: "é necessário ser rico para ser feliz"; "sem a realização de todos os desejos não há felicidade plena"; "só existe felicidade ao lado de um parceiro"; "é impossível ser feliz sozinho".

A falsidade desses mitos da felicidade pode ser constatada por estudos e observações simples. Nos países mais ricos do planeta, a parcela da população com maior poder aquisitivo e melhores índices de saúde e longevidade não apresenta maiores níveis de bem-estar ou de felicidade duradoura quando comparada às gerações passadas. Pelo contrário, o que se verificou entre aquelas pessoas foi um aumento expressivo de casos de ansiedade patológica, depressão e dependências em geral (drogas, comida, jogos, pornografia etc.). Acredito que o excesso de bens de consumo, conforto e longevidade acabam produzindo uma espécie de "estacionamento existencial" na vida. Elas perdem o instinto de buscar sentido e propósito para si próprias, pois acreditam já possuírem tudo o que é necessário para uma vida feliz. Além de perderem a motivação, essas pessoas também são tomadas pelo medo de perder o que julgam ser seus bens garantidores de felicidade. E, sem perceberem, vão lentamente se afundando em um mar de excessos que tornam seus vazios existenciais cada vez mais profundos.

Diante desse panorama de equívocos, torna-se inevitável a busca por novos pilares culturais que sejam capazes de promover a experiência cotidiana de uma felicidade autêntica e duradoura. Para cumprirmos bem essa missão, devemos ter a humildade e a sabedoria de saborear os frutos gerados por pessoas que há muito tempo dedicaram suas vidas ao estudo da essência humana. Os filósofos da Antiguidade não dispunham de computadores, eletricidade e outras tantas facilidades tecnológicas dos nossos tempos, porém foram capazes de produzir toda a base do conhecimento que herdamos. E, nos dias de hoje, os estudos científicos sobre a felicidade humana revelam que as ideias e pensamentos dessas pessoas continham verdades atemporais sobre o ser humano e o propósito de sua existência física.

A filosofia de Epiteto apresenta aspectos diametralmente opostos ao individualismo dos tempos modernos. Ela aposta na simplicidade de conceitos, no foco do autoaperfeiçoamento, na prática do bem e no firme alinhamento com a Fonte Energética Suprema (matriz criadora de todo o Universo). Dentro dessa visão, a vida feliz é sinônimo de uma vida virtuosa, e o indicador mais fidedigno dessa felicidade é o sentimento de paz interior que experimentamos com a prática persistente desses preceitos.

É interessante observar que existem congruências entre alguns conceitos epitetianos e percepções da psicologia moderna. Para ambos, a felicidade não é algo que possa ser comprado ou terceirizado por líderes religiosos ou gurus metafísicos. Na realidade, trata-se de um processo pessoal de mudanças gradativas em que substituímos comportamentos instintivos e primitivos de mera sobrevivência por ações eticamente construtivas. Para a psicologia e a neurociência, essa mudança é uma espécie de ginástica cerebral capaz de criar novos caminhos neuronais relacionados ao bem-estar duradouro. Esses novos circuitos cerebrais possibilitam comportamentos mais altruístas e também uma percepção maior de si mesmo. Tudo acontece graças à neuroplasticidade cerebral, ou seja, a mudança de estrutura física do cérebro é capaz de criar novos comportamentos, e esses, colocados em prática, reforçam os novos circuitos em uma espécie de ciclo virtuoso do pensar e agir.

Pela visão filosófica, esse processo de automelhoria não ocorre por simples motivos "mecânicos" restritos ao território do cérebro. Os comportamentos virtuosos se tornam um estilo de vida de pura sabedoria humana. É por meio dela que nos damos conta de nossa origem energética, da nossa condição espiritual atemporal e de nossa existência física limitada. A sabedoria advinda do conhecimento qualitativo permite ao homem ser livre e feliz, não por obrigação religiosa ou cultural, mas sim pela compreensão transcendente de nossa existência. A ideia de Epiteto sobre a Fonte Energética Suprema se assemelha em muito com a hipótese física do Big Bang sobre a criação do universo. A Fonte Energética Suprema seria uma energia criadora, inteligente, infinita e totalmente autorregulável. Ela sempre existiu em forma de energia ondulatória e vibracional e, por algum motivo que nossa limitada percepção desconhece, resolveu se materializar em partes. Assim nasceu o Cosmos que abrange toda a matéria e toda a energia presente no universo. Como parte material desse sistema, cada um de nós preserva em si a essência da Fonte Criadora, ou seja, somos matéria e energia simultaneamente numa dança cósmica atemporal de criação e autoaperfeiçoamento.

Vale a pena também observar que a Mecânica Quântica, no início do século XX, revelou que o mundo subatômico das partículas elementares que formam a matéria apresenta um comportamento dual: ora energia ondulatória, ora matéria como partícula. O que isso revela sobre a existência humana em um sentido mais amplo, ainda não sabemos. No entanto, saber que a matéria-prima (átomos e suas partículas subatômicas) que nos constitui é a mesma presente em tudo o que existe e que seu comportamento dual se assemelha, em certa medida, à Fonte Criadora imaginada por pensadores há mais de 2 mil anos, e também às ideias dos físicos contemporâneos sobre a criação do universo, nos faz sentir alguma felicidade por fazer parte desse espetáculo.

Neste exato momento, estamos tendo a oportunidade de fazer um belo filme com nossas vidas. Um filme que conta a história de uma viagem extraordinária, repleta de acontecimentos agradáveis e desafios inesperados. Encare os desafios como provas necessárias ao seu crescimento, eles existem para que você nunca se acomode. Veja o sentido de tudo e dê sentido à sua viagem; sem ele, você não chegará a lugar nenhum. Não se baseie em padrões materiais culturalmente estabelecidos para fazer o enredo do seu filme, sua existência está muito acima deles. Tenha coragem para identificar suas falhas e mais coragem ainda para corrigi-las e seguir sempre na direção do aprimoramento pessoal. Se tiver insegurança, se guie nos exemplos dos sábios, pois eles são os verdadeiros afortunados dessa vida.

Quando as dúvidas e incertezas surgirem, não desanime. Nessas horas, pare tudo e procure se lembrar de que o enredo essencial da existência humana é ser uma espécie de réplica da Fonte Criadora. Estamos aqui para acrescentar valores ao que somos e também aos outros com os quais iremos conviver. E a forma mais eficiente e segura de cumprirmos essa missão é o exercício diário do bem em suas mais diversas facetas: amor, justiça, fraternidade, gentileza, arte, generosidade... E não se preocupe em achá-los, pois seus talentos e dons indicarão a direção, e a pureza de suas intenções lhe dará a motivação necessária para cada passo desse caminho. E quando as luzes se apagarem, seu verdadeiro eu estará feliz por ter ascendido espiritualmente, ampliado seu nível de consciência e deixado um legado de dignidade compatível com um ser humano de verdade.

O melhor filme que existe é a vida. E quando doamos o melhor que há em nós na realização de cada "cena", todo o resto se alinha e uma obra de arte genuína é construída: "A arte de viver ou a arte de ser feliz".

A felicidade pura é "verbo".

12
BEM-VINDO AO DESPERTAR DA REALIDADE

A arte sempre esteve presente na experiência humana, ora representando nossa história passada e suscitando reflexões sobre ela, ora criando simulações sobre o futuro, antecipando cenários e vivências numa espécie de clarividência sobre nosso destino coletivo. Dentre todas as formas de arte, julgo que o cinema foi a que mais aguçou minha imaginação sobre o futuro que nos espera no grande espetáculo da vida no universo. Ao refletir sobre esse prisma da existência, somos obrigados a pensar na própria condição humana. A que será que se destina a vida de cada um de nós? Será que tudo isso tem algum sentido? Qual foi o propósito de nossa criação?

Os questionamentos são infinitos e todos nos levam a uma única verdade: a condição humana é algo bem mais complexo do que nascer e ser biologicamente mais um membro dessa espécie. Ser humano está muito acima de padrões culturalmente pré-estabelecidos. Um ser humano de verdade tem o dom de tornar sua existência sagrada, dando-lhe sentido e propósito de soma coletiva.

Muitos filmes cumpriram sua missão de nos despertar para o mundo ao nosso redor e nosso papel nesse contexto, porém um deles especificamente me impressionou de maneira mais intensa: *Matrix*. Talvez a grande maioria dos jovens de hoje não tenha visto esse filme, no entanto, seus ensinamentos são atemporais. Por isso o escolhi para uma reflexão final sobre a felicidade.

Matrix é um filme dos gêneros de ação e ficção científica, lançado em 1999. Foi roteirizado e dirigido por Lilly e Lana Wachowski (na época creditados como Andy e Larry Wachowski), estrelado por Keanu Reeves, Carrie-Anne Moss e Laurence Fishburne. Matrix foi um grande sucesso de bilheteria e seus efeitos especiais lhe renderam quatro Oscars em 2000.

O filme conta a vida de Thomas Anderson, um jovem programador que durante o dia trabalha em uma grande empresa de software, mas que durante a noite é Neo, um hacker que invade sistemas de computadores para aumentar sua renda. Em suas escassas horas de sono, ele é acometido por recorrentes pesadelos nos quais vive preso e tem seu cérebro conectado por inúmeros artefatos cilíndricos a um grandioso sistema de computadores. Sempre que desperta desses pesadelos, Neo é tomado pela sensação de que há algo muito errado com o mundo ao seu redor. Por intermédio de Trinity, uma hacker altamente reconhecida na *deep web*, Neo conhece Morpheus, líder de um grupo de pessoas que lutam para libertar a humanidade. Inicialmente Neo não compreende muito bem o que Morpheus sugere com o movimento de libertação, mas tudo fica mais claro quando ele revela que o mundo conhecido por Neo na verdade é uma realidade virtual criada e comandada por um poderoso sistema de computadores.

Morpheus vai além e conta para Neo que a inteligência artificial, por meio de máquinas sencientes, derrotou os humanos em guerras passadas e mantém seus corpos prisioneiros em uma espécie de curral tecnológico, onde cabos são estrategicamente dispostos para sugar a energia desses corpos e assim abastecer energeticamente o sistema computacional denominado Matrix. Esse sistema mantém todos distraídos e absortos em uma grande simulação na Terra, onde a civilização humana vive o seu apogeu, assegurado pelo domínio da tecnologia que ela mesma criou e soube democraticamente administrar para o bem de todos.

Por meio da ingestão de uma pílula vermelha, livremente escolhida por Neo das mãos de Morpheus, a realidade lhe é revelada: Matrix se trata de um mundo fictício projetado para manipular as mentes humanas que vivem como escravas das máquinas que, assim, mantêm todo o sistema em funcionamento. A Resistência, afirma Morpheus, acredita que Neo é o escolhido, uma espécie de messias que irá libertar a humanidade da dominação distópica do software Matrix. Ou seja, Matrix é o exemplo típico da criatura que trai seu criador e o subjuga por meio de uma ditadura implacável.

O filme, a partir dessa revelação, mostra a jornada épica de Neo para cumprir o seu destino. Apesar de suas dúvidas e inseguranças iniciais, o herói se empenha em aprender tudo o que seu mestre Morpheus e sua parceira Trinity lhe ensinam e, assim, aprende a driblar as regras do sistema Matrix. Após diversos duelos, Neo prova seus atributos e se convence que de fato ele é o escolhido para liderar os humanos no caminho do despertar e do resgate de seus verdadeiros valores.

Matrix, filosofia e comportamento humano

À primeira vista, *Matrix* é mais um dos inúmeros filmes de ação que utiliza armas, cenas de lutas incríveis, artes marciais, figurinos *fashion*, uma trilha sonora exuberante e muitas cenas que desafiam as leis da física como conhecemos e sobre as quais pautamos nossa existência terrena. No entanto, *Matrix* é bem mais do que um filme de ficção científica com uma bela direção de arte e de efeitos especiais. É também uma grande aula de filosofia e, como tal, nos conduz a reflexões atemporais sobre a condição humana. Todos seremos filósofos um dia, ainda que por caminhos diversos. A filosofia busca atender nossos maiores anseios sobre a compreensão dos nossos medos e sofrimentos e, assim nos liberar de seus jugos. Quando nos defrontamos com a injustiça, as doenças, as guerras, a crueldade, as pandemias, o desrespeito, a ganância e a falta de generosidade, atribuímos à vida uma total falta de senso lógico. Diante desse questionamento básico, nós temos dois caminhos a seguir: podemos sucumbir a uma alienação hipnotizante e, como animais de manada, reproduzir comportamentos pré-estabelecidos para suportar o tédio e o fardo de uma vida sem sentido, ou atendemos ao apelo da alma e mergulhamos em reflexões sobre o nosso papel nessa vida e no todo universal.

Dessa forma, podemos dizer que a filosofia é uma condição humana que se manifesta quando assumimos com coragem o nosso despertar existencial. Ela é o remédio da alma que visa nos mostrar de maneira inequívoca os argumentos falsos e as ações enganadoras que pautam a maioria absoluta das identidades humanas.

Dentro dessa visão filosófica de despertar a alma para as verdades e dessa forma exercermos a nossa condição humana de sentido e propósito vitais, farei uma análise de cunho comportamental sobre o filme *Matrix* e os nossos tempos.

Thomas Anderson vive uma rotina de trabalho maçante e tediosa, mora em um cubículo escuro onde fica por poucas horas do dia. Nessas horas, ele se divide entre trabalhos extras, como Neo, o hacker, e tem seu sono atormentado por pesadelos repetitivos. Quando acordado, experimenta a sensação incômoda sobre uma verdade que precisa ser acessada. Esse estado de mal-estar existencial mostra que Neo está pronto para atender ao chamado de sua alma, na busca do sentido de sua vida. E, por estar pronto, atrai a presença de Morpheus – que lhe propõe o "despertar para o deserto do real". Em um primeiro momento, Neo, sob o impacto da verdade, pede para desistir de sua missão e grita para Morpheus: "Deixe-me sair, deixe-me sair, quero sair".

Tal qual Neo, a maioria da humanidade vive envolta em rotinas precárias e desprovidas de sentido. Alguns até têm uma espécie de sensação incômoda, mas a maioria prefere não pensar sobre isso e segue em uma espécie de hipnose coletiva. Esse efeito de manada inibe nossa inteligência racional, atrofia nossos sentimentos generosos e pode criar a ilusão de que está tudo bem em nosso mundo. Essa alienação ganha grande reforço na satisfação material dos nossos desejos. Nós somos induzidos por um marketing extremamente eficiente a pensar que roupas, joias, carros, viagens e objetos de última geração tecnológica irão nos trazer a energia necessária para tocar a vida exatamente como ela deve ser: precária de sentidos, mas repleta de prazeres imediatos.

Acordar para tudo isso pode realmente ser algo assustador, pois, como humanos, possuímos um sistema límbico que guarda princípios primitivos que relacionam as mudanças com emoções e sentimentos de medo e insegurança. Por isso, Neo é um herói tão verdadeiro, pois ele pressente a necessidade de busca da verdade de sua essência humana. No entanto, em um primeiro momento, de forma instintiva, ele tenta desistir do seu despertar, por temer o novo, aquilo que é ilusoriamente desconhecido.

A Neo é dado o poder de escolha, e exercendo o seu livre-arbítrio ele escolhe a pílula vermelha que lhe conduz à verdade. E qual seria essa verdade de Neo? A mesma verdade que cada ser humano carrega em sua alma: ter a coragem para identificar as premissas falsas da vida e, por meio do conhecimento e do autoconhecimento, saber onde se encontra e para onde deve seguir na caminhada de autoaperfeiçoamento.

O mito do herói representado por Neo nos mostra de forma inquestionável que o ser humano está acima de padrões culturais estrategicamente pré-estabelecidos por grupos sociais que visam somente a sua permanência no poder. O herói representa um modelo valoroso que nos inspira na construção de uma versão mais pura e aprimorada de nós mesmos por meio de uma busca constante. A jornada do herói nos faz lembrar que, se nós estivermos em constante movimento de autoaperfeiçoamento e munidos de boas e verdadeiras intenções, cumpriremos o papel para o qual fomos designados no universo. Observamos esse aspecto quando Neo arrisca sua própria vida para salvar Morpheus, determinado em sua missão de resgatar os verdadeiros valores humanos de liberdade, de generosidade e de transcendência. O herói Neo faz o que precisa ser feito, não o que lhe é mais favorável, e isso apenas reflete que sua alma já domina o seu ego, ou seja, sua transitória identidade física.

Outro momento extremamente filosófico do filme ocorre quando Neo consulta o Oráculo – uma mulher de meia-idade com poderes de clarividência – para saber se, de fato, ele é mesmo o escolhido. Ao entrar na casa da vidente, Neo vê uma placa com os seguintes dizeres: *"temet nosce"*, que, em latim, quer dizer "conhece-te a ti mesmo". Frase que está escrita também na entrada do Templo de Delfos, na Grécia, construído para homenagear Apolo, o deus da razão, conhecimento, justiça e sabedoria. Essa mesma frase foi proferida por Sócrates, Heráclito e Pitágoras. A grande mensagem filosófica dessa citação, a meu ver, fica mais clara quando a analisamos em sua integralidade: "Conhece-te a ti mesmo e conhecerás o universo e os deuses". Nesse sentido mais amplo, ela é capaz de suscitar reflexões sobre nosso papel e função no Universo. Essa visão redime nossa existência material da arbitrariedade do caos e dignifica ainda mais nossas escolhas éticas na direção ascendente do espírito. Ela estabelece uma conexão direta entre cada um de nós com o Cosmos e sugere que somos uma fração fundamental desse todo.

Matrix é aqui e agora

Pare o que está fazendo, olhe o mundo ao seu redor e questione-se: você acredita que tudo está na mais perfeita ordem e harmonia? O sistema como está organizado é justo e confiável?

Se por acaso suas respostas foram positivas para essas duas indagações ou, pelo menos uma delas, talvez você ainda não tenha entendido o enredo do Universo e da criação humana. De certa forma, você aceita o mundo como ele se apresenta e está adormecido para a realidade vital. Por vezes, pode até intuir que há algo errado na maneira que estamos "sobrevivendo" no planeta, no entanto não sabe especificar o que quer que seja isso ou de onde vem esse mal-estar que lhe acomete de tempos em tempos ou mesmo que insiste em permanecer de forma insidiosa.

Em *Matrix*, aqueles totalmente conformados à realidade que os cerca são escravos passivos. Preferem mentiras tranquilizadoras às verdades desafiadoras. Mas o grande problema dessas mentiras confortáveis é que elas geram sedutoras zonas de conforto vital, onde nada de novo ou transformador pode ocorrer. E se todos vivêssemos nesse território mental, ainda seríamos seres muito primitivos, portadores de cérebros reptilianos voltados exclusivamente para a sobrevivência biológica. Teríamos apenas instintos de caça e reprodução, sendo isentos de instintos mais nobres, como solidariedade, bondade e compaixão. Estar sob o véu da realidade não é absolutamente um pecado ou mesmo uma transgressão moral em si, mas o impede de ser verdadeiramente feliz, pois a felicidade pura é "verbo", ou seja, o ato de se realizar na condição humana, de transcender a banalidade e dar sentido à própria existência. Se entendermos que somos uma fração do universo, visível e não visível, nos daremos conta de que a real felicidade só pode ocorrer se estivermos alinhados com essa realidade de um todo ordenado e regido pelas leis da natureza.

Certamente não conhecemos a totalidade dessas leis, mas uma simples observação desprovida de preconceitos radicais, sejam eles científicos ou religiosos, nos traz a certeza de que não existe um caos arbitrário no Cosmos ou no universo. Tudo se mostra harmônico e funcional e de uma beleza que seduz os mais geniais designers da humanidade.

A consciência e a felicidade

Definitivamente não há possibilidade de felicidade real sem a expansão de nossas consciências, tanto a individual como a coletiva. Sermos humanos, na acepção mais profunda dessa condição, implica em assumirmos nossa condição de autoaperfeiçoamento. Não há para onde fugir. O caminho da identidade humana é a inexorável expansão da sua consciência. "Somos a única espécie capaz de avaliar nossos próprios atos, classificá-los de acordo com conceitos de bem e mal, comparar nossas ações atuais com as passadas e perceber as implicações delas no que se refere ao futuro. "Futuro meu, enquanto indivíduo, futuro da nossa espécie, enquanto humanidade, futuro de todas as espécies enquanto unidade", como diz James Marins em sua obra *A era do impacto*.

A felicidade é a própria realização da condição vital e não somente para a espécie humana, mas sim para todas as espécies. Cada criatura na Terra vive para se realizar sendo exatamente aquilo que é. Assim, a felicidade de uma planta é realizar a fotossíntese da melhor maneira possível, já a felicidade dos animais, em geral, é sobreviver e se reproduzir, o que inclui também microrganismos como vírus, bactérias e fungos. A água se realiza em formar e fluir por rios, mares oceanos e cachoeiras, para depois retornar ao solo em forma de chuva, alimentando assim os vegetais. Tudo tem sua condição de existência e serve a um propósito pré-determinado.

Quanto a nós, seres humanos, cabe a elevação ascendente dos estágios de nossa consciência. Segundo James Marins, os estágios da consciência humana determinam a visão de mundo de cada um. De uma forma didática e mais simplificada, podemos dizer que o estágio **egocêntrico** se traduz por uma avaliação em que as consequências visam somente o próprio indivíduo; no **etnocêntrico**, a visão é restrita ao grupo ao qual a pessoa pertence; no **globocêntrico** já existe uma visão que percebe e avalia os impactos para todos os indivíduos da espécie humana; e o **holocêntrico** é o que engloba todas as visões anteriores e há uma percepção que leva em consideração todas as espécies de todos os reinos na hora de tomar decisões.

A evolução da consciência possibilitou, por meio da colaboração solidária, que o gênero humano – *Homo sapiens* – chegasse à supremacia da vida terrena. Se não solidificarmos o conhecimento antropológico sobre essa verdade, iremos regredir e, certamente, amargaremos na infelicidade e na própria extinção da espécie, como ocorreu com os Neandertais. É chegada a hora de evoluirmos não mais nosso físico ou nossa mente (cognição intelectual), precisamos de forma voluntária e proposital tomar as rédeas da evolução metafísica de nossas almas ou espíritos. Não podemos mais ficar à mercê da evolução automática que ocorre em nossa constituição material e que é inerente a todos os seres vivos. A capacidade de auto-observação e percepção de valores morais essenciais nos exige uma coerência existencial para sermos seres humanos de verdade em plena condição e identidade.

É hora de darmos o passo definitivo em direção à legítima felicidade, hora do salto quântico que nos colocará em comunhão com a Força Energética Essencial, criadora de todos os sentidos e propósitos do Universo. Acredito que essa será a evolução final, a evolução das evoluções, o ponto de chegada dessa longa caminhada onde finalmente seremos inteiros novamente. Está na hora de atualizar as configurações do sistema operacional da vida. Hora de despertar para a verdadeira condição humana, que sejamos gratos e dignos dessa missão. Que assim seja, amém.

Bem-vindo ao despertar da consciência!

Agradecimentos

O meu profundo agradecimento e reconhecimento aos grandes filósofos da Era Axial, que, sem qualquer outra ferramenta além de suas próprias mentes, buscaram respostas sobre a condição humana e seu papel no universo. Eles que acabaram por abrir caminhos que hoje pautam a minha jornada de felicidade alicerçada na evolução transcendental.

Epiteto, Sêneca, Confúcio, Lao-Tsé, Sidarta, Sócrates, Aristóteles e Platão.

Bibliografia

ACHOR, Shawn. *O jeito Harvard de ser feliz: o curso mais concorrido de uma das melhores universidades do mundo.* Tradução de Cristina Yamagami. São Paulo: Saraiva, 2012.

ALEMANY, Cristina. *Palavras mágicas sobre a felicidade.* Tradução de Adriana Toledo de Almeida. São Paulo: V&R Editores, 2013. Coleção Palavras Mágicas.

ANDREWS, Susan. *A ciência de ser feliz: conheça os caminhos práticos que trazem bem-estar e alegria.* Tradução de Niels Gudme. 2ª ed. São Paulo: Ágora, 2011.

ARANTES, Ana Claudia Quintana. *A morte é um dia que vale a pena viver.* Rio de Janeiro: Sextante, 2019.

ARRIANO, Flávio. *Manual de Epicteto.* Tradução de Aldo Dinucci. São Paulo: Auster, 2020.

AUBELE, Teresa; WENCK, Stan & REYNOLDS, Susan. *Mentes felizes.* Tradução de Luís Protásio. São Paulo: Universo dos Livros, 2017.

_____; _____ & _____. *Treine seu cérebro para ser feliz.* Tradução de Luís Protásio. São Paulo: Universo dos Livros, 2019.

ATKINSON, William Walker. *O Caibalion: edição definitiva e comentada.* Introdução e edição de Philip Deslippe. Tradução de Rosabis Camaysar e Jeferson Luiz Camargo. 2ª ed. São Paulo: Pensamento, 2018.

BEN-SHAHAR, Tal. *Seja mais feliz: aprenda a ver a alegria nas pequenas coisas para uma satisfação permanente.* Tradução de Paulo Anthero S. Barbosa. São Paulo: Planeta do Brasil, 2018.

BENSON, Herbert. *Medicina Espiritual: o poder essencial da cura*. Tradução de Mary Winckler. 11ª ed. São Paulo: Elsevier, 1998.

BERGOGLIO, Jorge Mario Bergoglio (papa Francisco). *A felicidade nesta vida: uma meditação apaixonada sobre a existência terrena*. Organização de Natale Benazzi. São Paulo: Fontanar, 2018.

BROWN, Brené. *A coragem de ser imperfeito: como aceitar a própria vulnerabilidade, vencer a vergonha e ousar ser quem você é*. Tradução de Joel Macedo. Rio de Janeiro: Editora Sextante, 2016.

CEZAR, Cesar Ribas. *Scotus e a liberdade: textos escolhidos sobre a vontade, a felicidade e a lei natural*. São Paulo: Edições Loyola, 2010.

CHARDIN, Pierre Teilhard de. *Sobre a felicidade/Sobre o amor*. Rio de Janeiro: Verus, 2005.

CHOPRA, Deepak. *Você é universo: crie sua realidade quântica e transforme sua vida*. Tradução de Maria Sylvia Corrêa e Vera Caputo. São Paulo: Alaúde, 2017.

CORTELLA, Mario Sergio; KARNAL, Leandro & PONDÉ, Luiz Felipe. *Felicidade: modos de usar*. São Paulo: Planeta, 2019.

COUTO, Hélio. *Estar na Matrix e não ser da Matrix*. 2ª ed. São Paulo: Linear B Editora, 2019. Coleção Metafísica.

DANUCALOV, Marcello Árias Dias & SIMÕES, Roberto Serafim. *Neurobiologia e filosofia da meditação*. 2ª ed. São Paulo: Phorte, 2018.

DE MASI, Domenico & TOSCANI, Olivero. *A felicidade*. Tradução de Maria Margherita de Luca. São Paulo: Globo, 2011.

EPICTETO. *A arte de viver: uma nova interpretação de Sharon Lebell*. Tradução de Maria Luiza Newlands da Silveira. Rio de Janeiro: Sextante, 2018.

_____. Manual para a vida: *Enchiridion* de Epicteto. Tradução e organização de Rafael Arrais. Textos para Reflexão, 2013.

EPICURO. *Carta sobre a felicidade (a Meneceu)*. Tradução e apresentação de Álvaro Lorencini e Enzo Del Carratore. São Paulo: UNESP, 1999.

FERNANDES, Sidney. *Ser feliz é uma decisão*. Bauru: CEAC, 2015.

FERNANDES, Márcio. *Felicidade dá lucro: lições de um dos líderes empresariais mais admirados do Brasil*. Prefácio de Luiza Helena Trajano e posfácio de Oscar Motomuro. São Paulo: Portfolio-Penguin, 2015.

FILHO, João Freire. *Ser feliz hoje: reflexões sobre o imperativo da felicidade*. Rio de Janeiro: FGV, 2010.

FRANCO, Divaldo. *Momentos de felicidade*. Salvador: Leal, 1991.

FREDRICKSON, Barbara. *Positivity: Groundbreaking Research to Release Your Inner Optimist and Thrive*. Londres: Oneworld Publications, 2010.

FUENTES, Mara Josefina & VERAS, Marcelo. *Felicidade e sintoma: ensaios para uma psicanálise no século XXI*. Rio de Janeiro: Corrupio, 2008.

GAWDAT, Mo. *A fórmula da felicidade*. Tradução de Léa Viveiros de Castro e Alessandra Esteche. Rio de Janeiro: LeYa, 2017.

GIANNETTI, Eduardo. *Felicidade*. São Paulo: Companhia das Letras, 2002.

GOLEMAN, Daniel & DAVIDSON, Richard J. *A ciência da meditação: como transformar o cérebro, a mente e o corpo*. Tradução de Cássio de Arantes Leite. Rio de Janeiro: Objetiva, 2007.

GOSWAMI, Amit. *Consciência quântica: uma nova visão sobre o amor, a morte e o sentido da vida*. Tradução de Marcello Borges. São Paulo: Aleph, 2018.

_____. *O médico quântico: orientações de um físico para a saúde cura*. Tradução de Euclides Luiz Calloni e Cleusa Margô Wosgrau. São Paulo: Cultrix, 2006.

HANSON, Rick. *O cérebro e a felicidade: como treinar sua mente para atrair serenidade, amor e autoconfiança*. Tradução de Fernanda Santos. São Paulo: WMF Martins Fontes, 2015.

HARARI, Yuval Noah. *21 lições para o século 21*. Tradução de Paulo Geiger. São Paulo: Companhia das Letras, 2018.

HAWLEY, Jack. *O Baghavad Gita: um guia passo a passo para ocidentais*. São Paulo: Horus Editora, 2014.

HIPONA, Agostinho de. *Diálogo sobre a felicidade*. Tradução de Mario A. Santiago de Carvalho. Lisboa: Edições 70, 2014.

HUECK, Karin & GIACOMO, Frederico Di. *Glück: o que um ano sabático nos ensinou sobre a felicidade*. Rio de Janeiro: Best-Seller, 2018.

KARDEC, Allan. *Livro dos espíritos*. Tradução de Evandro Noleto Bezerra. Rio de Janeiro: FEB, 2013.

_____. *A Gênese: os milagres e as predições segundo o espiritismo*. Tradução de Carlos de Brito Imbasshy. Garulhos: Mundo Maior Editora e Distribuidora, 2018.

LENOIR, Frédéric. *Sobre a felicidade: uma viagem filosófica*. Tradução de Véra Lucia dos Reis. Rio de Janeiro: Objetiva, 2016.

LIIMAA, Wallace. *Dê um salto quântico na sua vida: como treinar sua mente para viver no presente e fazer o mundo conspirar a seu favor*. São Paulo: Gente, 2017.

LIMA, Moacir Costa de Araújo. *Quântica: o caminho da felicidade*. Porto Alegre: AGE, 2015.

LIPTON, Bruce H. *A biologia da crença. Ciência e espiritualidade na mesma sintonia: o poder da consciência sobre a matéria e os milagres*. Tradução de Yma Vick. São Paulo: Butterffly Editora, 2007.

LIPOVETSKY, Gilles. *A felicidade paradoxal: ensaio sobre a sociedade do hiperconsumo*. Tradução de Maria Lucia Machado. São Paulo: Companhia das Letras, 2007.

LYKKEN, David. *Felicidade: pesquisas inovadoras sobre a influência dos genes e da criação em nossa predisposição à felicidade*. Tradução de Terezinha Batista dos Santos. Rio de Janeiro: Objetiva, 1999.

LYUBOMIRSKY, Sonja. *Os mitos da felicidade: o que deveria fazer você feliz, mas não faz; o que não deveria fazer você feliz, mas faz*. Tradução de Eduardo Rieche. Rio de Janeiro: Odisseia, 2013.

MAGINA, Alexandre. *Conversando sobre a vida: um projeto na busca da felicidade*. São Paulo: Baraúna, 2014

MARINS, James. *A era do impacto: o movimento transformador massivo da liberdade, das novas economias, dos empreendedores sociais e da consciência da humanidade*. Curitiba: Voo, 2019.

MEHROTRA, Rajiv. *Conversas com o Dalai Lama: sobre felicidade, sofrimento, o propósito da vida e mais*. Tradução de Paulo Afonso. Rio de Janeiro: Fontanar, 2012.

MEYER, Ildo. *Parabéns a você: um ensaio sobre ética e felicidade*. Porto Alegre: AGE, 2008.

MOURÃO, Mauro Trexler. *Uma teoria da felicidade: a força da genética, a força do comportamento, a força da história*. Maringá: Viseu, 2018.

NEWBERG, Andrew & WALDMAND, Mark-Robert. *Como Deus pode mudar sua mente: Um diálogo entre fé e neurociência*. São Paulo: Prumo, 2009.

OBEROM. *No fluir da felicidade*. 2ª ed. São Paulo: Alfabeto, 2016.

PAULA, Marcos Ferreira de. *Sobre a felicidade*. Belo Horizonte: Autêntica, 2014.

PRADA, Irvênia L. S; IANDOLI, Jr; DECIO & LOPES. *O Cérebro Triúno a serviço do espírito*. São Paulo: AME, 2018.

REEVE, C. D. C. *Ação, contemplação e felicidade: um ensaio sobre Aristóteles*. Tradução de Cecilia Camargo Bartalotti. São Paulo: Loyola, 2014.

RICARD, Matthieu. *Felicidade: a prática do bem-estar*. Tradução de Arnaldo Bassoli. São Paulo: Palas Athena, 2007.

RODOVALHO, Bispo. *Ciência e fé: o reencontro pela física quântica*. Rio de Janeiro: LeYa, 2013.

SALECL, Renata. *Sobre a felicidade: ansiedade e consumo na era do hipercapitalismo*. Tradução de Marcelo Rezende. São Paulo: Alameda, 2005.

SANTOS, Jorge Andréa dos. *Do outro lado da matéria: enigma da vida*. Rio de Janeiro: Instituto de Cultura Espírita do Brasil, 2017.

SCHULTZ, Fernando. *Eu maior: uma reflexão sobre autoconhecimento e a busca da felicidade*. Rio de Janeiro: Sextante, 2017.

SELIGMAN, Martin E. P. *Felicidade autêntica: use a psicologia positiva para alcançar todo seu potencial*. Tradução de Neuza Capelo. 2ª ed. Rio de Janeiro: Objetiva, 2019.

SILVA, Ana Beatriz Barbosa. *Mentes que amam demais: o jeito borderline de ser*. Colaboração de Alex Rocha e Lya Ximenez. 2ª ed. Rio de Janeiro: Principium, 2018.

_____. *Mentes inquietas: TDAH – desatenção, hiperatividade e impulsividade*. 4ª ed. São Paulo: Principium, 2014.

_____. *Mentes ansiosas: medo e ansiedade nossos de cada dia*. Colaboração de Lya Ximenez. 2ª ed. São Paulo: Principium, 2017.

_____. *Mentes consumistas: do consumismo à compulsão por compras*. São Paulo: Principium, 2014.

_____. *Mentes depressivas: as três dimensões da doença do século*. São Paulo: Principium, 2016.

_____. *Mentes perigosas: o psicopata mora ao lado*. 3ª ed. São Paulo: Principium, 2018.

STAPPEN, Anne van & AUGANER, Jean. *Caderno de exercícios para cultivar a alegria de viver no cotidiano*. Tradução de Stephania Matousek. São Paulo: Vozes, 2013. Coleção Cadernos: Praticando o Bem-Estar.

TRAUCZYNSKI, Alana. *Recalculando a rota: uma louca jornada em busca de propósito*. São Paulo: Goya, 2015.

VAILLANT, George. *Fé: evidências científicas*. Tradução de Isabel Alves. Barueri: Manole, 2010.

ZOHAR, Danah & MARSHALL, Ian. *Capital espiritual: usando as inteligências racional, emocional e espiritual para realizar transformações pessoais e profissionais*. Tradução de Evelyn Kay Massaro. Rio de Janeiro: BestSeller, 2006.

_____. *Inteligência espiritual*. Tradução de Ruy Jungmann. 3ª ed. Rio de Janeiro: Viva Livros, 2017.

Vídeos

HARARI, Yuval Noah. "Why humans run the world". TED, 24 jul. 2015. Disponível em: <https://www.youtube.com/watch?v=nzj7Wg4DAbs>. Acesso em: 2 jul. 2022.

SILVA, Ana Beatriz Barbosa. "Ansiedade no presente e no futuro". TEDx Talks, 28 ago. 2019. Disponível em: <https://www.youtube.com/watch?v=BsA2yN37c-Cg&t=69s>. Acesso em: 2 jul. 2022.

_____. "Congresso da Felicidade – 2019". Ana Beatriz Barbosa Silva, 8 ago. 2020. Disponível em: <https://www.youtube.com/watch?v=iK9Qaj8R8YU&t=14s>. Acesso em: 2 jul. 2022.

_____. "Dinheiro não traz felicidade – Mentes em pauta". Ana Beatriz Barbosa Silva, 26 out. 2019. Disponível em: <https://www.youtube.com/watch?v=wEKcUksy4VQ&t=25s>. Acesso em: 2 jul. 2022.

_____. "Empatia, gentileza e compaixão – Mentes em pauta". Ana Beatriz Barbosa Silva, 23 mar. 2019. Disponível em: <https://www.youtube.com/watch?v=upGzHKfLGVs>. Acesso em: 2 jul. 2022.

_____. "Mentes em Pauta – Ditadura da felicidade". Ana Beatriz Barbosa Silva, 7 dez. 2019. Disponível em: <https://www.youtube.com/watch?v=J-CBaYqVtdzM>. Acesso em: 2 jul. 2022.

_____. "Mentes em Pauta – Fé". Ana Beatriz Barbosa Silva, 9 fev. 2019. Disponível em: <https://youtu.be/-vkR2cYyTbs>. Acesso em: 2 jul. 2022.

_____. "Mentes em Pauta – Felicidade e sucesso". Ana Beatriz Barbosa Silva, 15 set. 2018. Disponível em: <https://www.youtube.com/watch?v=2L4dlta50sk&t=20s>. Acesso em: 2 jul. 2022.

_____. "Mentes em Pauta – Ressignificar a vida". Ana Beatriz Barbosa Silva, 2 jun. 2018. Disponível em: <https://www.youtube.com/watch?v=_vxMndsooZE&t=129s>. Acesso em: 2 jul. 2022.

_____. "Sentido e propósito". Ana Beatriz Barbosa Silva, 15 ago. 2020. Disponível em: <https://www.youtube.com/watch?v=J9rWZxjbZjk&t=1s>. Acesso em: 2 jul. 2022.

Links da internet

"A Global Framework for Youth Mental Health". *World Economic Forum*, 27 maio 2020. Disponível em: <https://www.weforum.org/reports/a-global-framework-for-youth-mental-health-db3a7364df/>. Acesso em: 2 jul. 2022.

ORTIZ-OSPINA, Eteban & ROSER, Max. "Happiness and life satisfaction". Our World in Data, maio 2017. Disponível em: <https://ourworldindata.org/happiness-and-life-satisfaction>. Acesso em: 24 jun. 2022.

"How happy are you?". *The Oxford Happiness Survey*, s. d. Disponível em <https://www.happiness-survey.com>. Acesso em: 2 jul. 2022.

DALTON. "Pesquisas científicas sobre meditação". *Cura da alma, do corpo e dos sofrimentos emocionais*, 1 maio 2017. Disponível em: <https://consciencial.org/meditacao/pesquisas-cientificas-sobre-meditacao/>. Acesso em: 2 jul. 2022.

FILOMENO, Leonardo. "A ditadura da felicidade e a importância da tristeza em sua vida". *Manual do homem moderno*, s. d. Disponível em: <https://manualdohomemmoderno.com.br/desenvolvimento/a-ditadura-da-felicidade-e-a-importancia-da-tristeza-em-sua-vida>. Acesso em: 2 jul. 2022.

FRONTEIRA, Agência. "O cérebro zen: o que acontece na massa cinzenta de quem medita". *Superinteressante*, s. d. Disponível em: <https://super.abril.com.br/especiais/o-cerebro-zen-o-que-acontece-na-massa-cinzenta-de-quem-medita/>. Acesso em: 2 jul. 2022.

MENEZES, Carolina Baptista & DELL'ALGIO, Débora Dalbosco. "Os efeitos da meditação à luz da investigação científica em Psicologia: revisão de literatura". *Psicologia: Ciência e Profissão*, nº 2, 2009. Disponível em: <https://doi.org/10.1590/S1414-98932009000200006>. Acesso em: 2 jul. 2022.

OLIVIERI, Antonio Carlos. "Filosofia e felicidade – O que é ser feliz segundo os grandes filósofos do passado e do presente". UOL, s. d. Disponível em: <https://educacao.uol.com.br/disciplinas/filosofia/filosofia-e-felicidade-o-que-e-ser-feliz-segundo-os-grandes-filosofos-do-passado-e-do-presente.htm>. Acesso em: 2 jul. 2022.

CAMPOS, Danilo; KIHARA, Alexandre & PASCHON, Vera. "Os efeitos da meditação no cérebro". Instituto Nanocell, 24 jun. 2014. Disponível em: <https://www.researchgate.net/profile/Vera-Paschon-2/publication/272928235_Os_efeitos_da_meditacao_no_cerebro/links/55172a570cf2f7d80a39e795/Os-efeitos-da-meditacao-no-cerebro.pdf>. Acesso em: 2 jul. 2022.

PIRES, Jonas. "4 neurotransmissores da felicidade: dopamina, serotonina, endorfinas e ocitocina". *Jonas Pires*, 16 jun. 2020. Disponível em: <https://jonaspires.com.br/4-neurotransmissores-da-felicidade-dopamina-serotonina-endorfinas-e-ocitocina/>. Acesso em: 2 jul. 2022.

PIRES, Thomas. "Entenda como funciona o índice de felicidade no Butão". *Congresso em Foco*. 9 set. 2010. Disponível em: <https://congressoemfoco.uol.com.br/projeto-bula/reportagem/entenda-como-funciona-o-indice-de-felicidade-do-butao/>. Acesso em: 2 jul. 2022.

TANG, Yi-Yuan; LU, Qilin; FAN, Ming & POSNER, Michael I. "Mechanisms of white matter changes induced by meditation". *PNAS*, 9 maio 2012. Disponível em: <https://www.pnas.org/content/109/26/10570>. Acesso em: 2 jul. 2022.

Contatos da Dra. Ana Beatriz Barbosa Silva

Homepage: draanabeatriz.com.br
E-mail de contato: abcomport@gmail.com
Instagram: instagram.com/anabeatriz11/
Facebook: facebook.com/draanabeatriz
Tiktok: tiktok.com/@draanabeatriz11
YouTube: youtube.com/anabeatrizbsilva
Twitter: twitter.com/anabeatrizpsi

Este livro, composto na fonte Fairfield,
foi impresso em papel offset 90 g/m² na Leograf.
São Paulo, novembro de 2024.